7세

초능력

창의력·집중력

집중력편

2권

7세

집중력, 이렇게 키워 주세요.

7세 아이에게 집중력이 중요할까요?

집중력과 관련된 뇌의 전전두엽은 초등학교 입학 시기인 7~8세, 청소년기인 12~13세의 두 시기 동안 급성장해요.

그렇기 때문에 초등학교의 수업 시간이 저학년 때는 오전 수업으로만 이루어져 있고, 3~4학년이 되어서야 오후 수업이 들어가는 것이랍니다. 두 시기 모두 중요하지만 특히, 첫 발달 시기인 7~8세 때는 그 방향과 자세를 확실히 잡아 주어야 해요.

부모님은 어떻게 도와주어야 할까요?

① 주변을 정리정돈해 아이의 자극 요소를 줄여 주세요.

② '일단 멈추고, 쳐다보고, 듣는다.'라는 생각을 심어 주고 습관을 만들어 주세요.

③ 분량이 짧고 구체적으로 설명된 과제를 끝내는 방법으로 아이가 스스로 성공적인 경험을 하도록 도와주세요.

④ 7세 아이의 집중력은 칭찬과 보상이 주어지면 점차 늘어나요. 결과보다 아이들의 시도 자체를 칭찬해 주세요.

이 책으로 집중력을 어떻게 기를 수 있을까요?

이 책은 1(하루), 1(한 영역), 2(두 문제)의 규칙적인 학습으로 집중력을 기를 수 있어요. 5가지 영역에서 뽑아낸 집중력 문제는 집중력의 첫 발달 시기를 올바로 이끌어 줄 거예요.

관찰

숨어 있는 사물을 찾아내거나 조건에 맞는 상황을 발견하는 능력

모양지각
같은 모양 또는 다른 모양을 찾아내거나 비슷한 모양을 발견하는 능력

협응

눈과 손의 시선을 일치시켜 선을 긋거나 점을 잇고, 면을 색칠하는 능력

변별

위치와 색깔, 부분과 전체, 같거나 다른 그림을 구분하는 능력

공간지각
상하, 좌우, 앞뒤 공간의 개념을 이해하고 방향을 찾는 능력

집중력, 이렇게 구성했어요!

문제 제목 문제의 제목을 보고 문제 유형과 답을 찾는 방법을 정확히 알 수 있어요.

도움말

문제를 푸는 데 어려움을 겪는 아이들을 위해 문제풀이의
핵심이 되는 도움말을 간단히 제시했어요.

집중 쑥쑥

아이들의 지쳐 있는 뇌를 잠시 쉬게 해 주고 집
중력까지 쑥쑥 높일 수 있는 체조예요. 아이와
함께해 보세요.

집중력 영역

각 주에 공부하게 될 집중력 영역에 대한 설명,
문제 유형을 직관적으로 알 수 있는 문제 제목을
제시했어요.

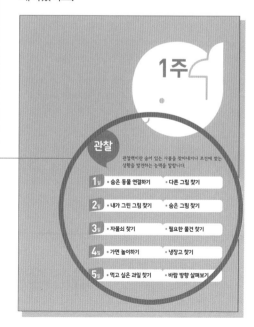

10주 완성 계획표

1주·관찰	1일	2일	3일	4일	5일
쪽수	8~9쪽	10~11쪽	12~13쪽	14~15쪽	16~17쪽
공부한 날	월 일	월 일	월 일	월 일	월 일
확인	😄✌ 🙂	😄✌ 🙂	😄✌ 🙂	😄✌ 🙂	😄✌ 🙂

2주·모양지각	1일	2일	3일	4일	5일
쪽수	20~21쪽	22~23쪽	24~25쪽	26~27쪽	28~29쪽
공부한 날	월 일	월 일	월 일	월 일	월 일
확인	😄✌ 🙂	😄✌ 🙂	😄✌ 🙂	😄✌ 🙂	😄✌ 🙂

3주·변별	1일	2일	3일	4일	5일
쪽수	32~33쪽	34~35쪽	36~37쪽	38~39쪽	40~41쪽
공부한 날	월 일	월 일	월 일	월 일	월 일
확인	😄✌ 🙂	😄✌ 🙂	😄✌ 🙂	😄✌ 🙂	😄✌ 🙂

4주·공간지각	1일	2일	3일	4일	5일
쪽수	44~45쪽	46~47쪽	48~49쪽	50~51쪽	52~53쪽
공부한 날	월 일	월 일	월 일	월 일	월 일
확인	😄✌ 🙂	😄✌ 🙂	😄✌ 🙂	😄✌ 🙂	😄✌ 🙂

5주·협응	1일	2일	3일	4일	5일
쪽수	56~57쪽	58~59쪽	60~61쪽	62~63쪽	64~65쪽
공부한 날	월 일	월 일	월 일	월 일	월 일
확인	😄✌ 🙂	😄✌ 🙂	😄✌ 🙂	😄✌ 🙂	😄✌ 🙂

6주·관찰	1일	2일	3일	4일	5일
쪽수	68~69쪽	70~71쪽	72~73쪽	74~75쪽	76~77쪽
공부한 날	월 일	월 일	월 일	월 일	월 일
확인					

7주·모양지각	1일	2일	3일	4일	5일
쪽수	80~81쪽	82~83쪽	84~85쪽	86~87쪽	88~89쪽
공부한 날	월 일	월 일	월 일	월 일	월 일
확인					

8주·변별	1일	2일	3일	4일	5일
쪽수	92~93쪽	94~95쪽	96~97쪽	98~99쪽	100~101쪽
공부한 날	월 일	월 일	월 일	월 일	월 일
확인					

9주·공간지각	1일	2일	3일	4일	5일
쪽수	104~105쪽	106~107쪽	108~109쪽	110~111쪽	112~113쪽
공부한 날	월 일	월 일	월 일	월 일	월 일
확인					

10주·협응	1일	2일	3일	4일	5일
쪽수	116~117쪽	118~119쪽	120~121쪽	122~123쪽	124~125쪽
공부한 날	월 일	월 일	월 일	월 일	월 일
확인					

차례

1주

관찰

관찰력이란 숨어 있는 사물을 찾아내거나 조건에 맞는
상황을 발견하는 능력을 말합니다.

1일 숨은 동물 연결하기

수줍음이 많은 동물 친구들이 이불 속에 숨어 있어요.
어떤 동물 친구들이 숨어 있는지 선으로 이어요.

🔑 이불 밖으로 살짝 나와 있는 동물의 모습을 살펴보아요.

다른 그림 찾기

추운 겨울날, 친구와 함께 눈사람을 만들었어요.

두 그림에서 서로 다른 부분을 다섯 군데 찾아 아래 그림에 ○ 해요.

두 그림을 멀리서 본 다음에 다시 하나하나 자세히 살펴보아요.

2일 내가 그린 그림 찾기

크레파스로 예쁜 그림을 그렸어요.

다음 크레파스를 모두 사용하여 그린 그림을 찾아 ◯ 해요.

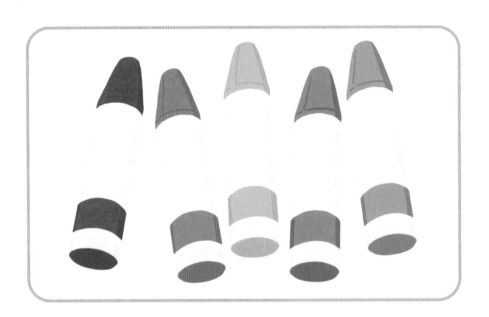

크레파스 색깔과 그림에 그려진 색깔을 비교해 보아요.

숨은 그림 찾기

마녀가 숨겨 놓은 그림을 찾아야 동물들이 탈출할 수 있어요.
숨은 그림 다섯 개를 찾아 ◯ 해요.

숨은 그림	빵, 칫솔, 연필, 탬버린, 비행기

🔑 숨은 그림이 어디에 숨어 있는지 눈을 크게 뜨고 살펴보아요.

자물쇠 찾기

열쇠로 자물쇠를 열어서 보물을 찾아야 해요.

열쇠 모양에 맞는 자물쇠를 찾아 ◯ 해요.

🔑 열쇠에서 튀어 나온 모양과 들어간 모양을 자물쇠의 구멍과 비교해 보아요.

필요한 물건 찾기

직업마다 사람들이 사용하는 물건은 각각 달라요.
그림 속 사람들에게 필요한 물건을 찾아 선으로 이어요.

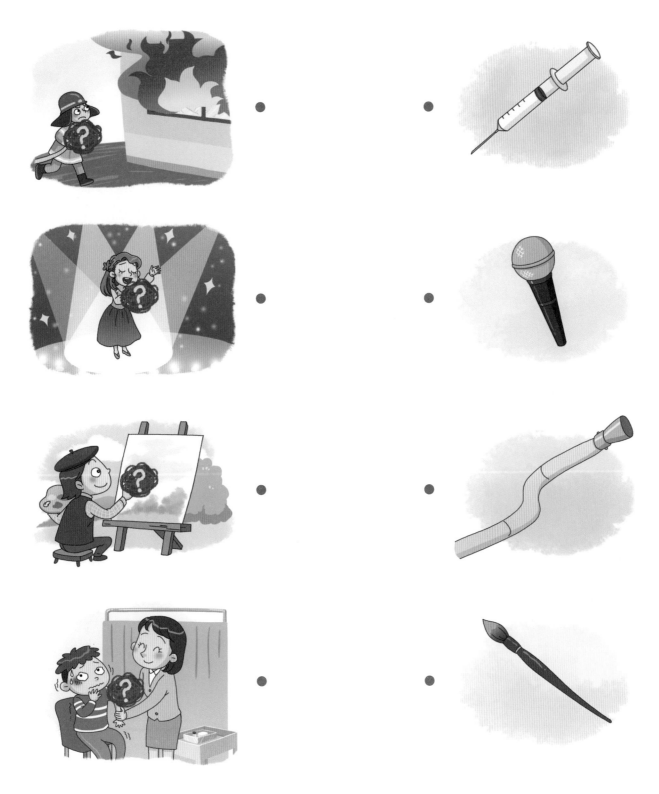

왼쪽 그림을 보고 직업마다 어떤 물건이 필요할지 생각해 보아요.

관찰 **13**

4일 가면 놀이하기

색지를 오려서 동물 모양 가면을 만들었어요.
왼쪽의 색지를 오려 만든 동물 모양 가면으로
놀이를 하고 있지 않은 친구를 찾아 빈칸에 ◯ 해요.

🔑 색지의 오린 부분과 동물 모양 가면을 비교해 보아요.

냉장고 찾기

엄마와 시장에 가서 여러 가지 물건을 샀어요.
나는 시장에서 사 온 물건을 빈 냉장고에 차곡차곡 정리했어요.
우리 집 냉장고를 찾아 ◯ 해요.

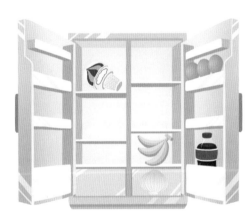

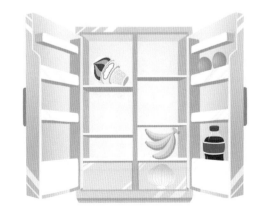

🌡 시장에서 어떤 물건을 샀는지 살펴보아요.

관찰 **15**

5일 먹고 싶은 과일 찾기

동물 친구들이 먹고 싶은 과일을 이야기하고 있어요.

동물 친구들이 각자 원하는 과일을 알맞게 그린 모습을 찾아 ◯ 해요.

아삭아삭한 사과를 먹고 싶어.

탱글탱글하고 잘 익은 포도를 먹고 싶어.

달콤하고 말랑한 복숭아를 먹고 싶어.

👃 동물 친구들이 설명한 내용을 잘 읽어보아요.

바람 방향 살펴보기

바람 아저씨가 입김을 부니까 날아갈 것만 같아요.

바람이 부는 방향과 반대로 움직이는 것을 찾아 빈칸에 ◯ 해요.

🌡 바람이 어느 방향으로 불고 있는지 살펴보아요.

로켓 체조를 해요

다음 동작을 순서대로 하나씩 천천히 따라해 보아요.

①

차려 자세를 한 다음,
앞을 바라보고 똑바로 서요.

② 위로!
로켓처럼

두 손을 머리 위로 올려서
로켓 모양을 만들어요.

③ 이얍! 얍얍! ♫♪

오른쪽으로 몸을 구부려 5초 동안 가만히 있어요.
왼쪽도 똑같이 해요.

2주

모양 지각

모양지각력이란 같은 모양 또는 다른 모양을 찾아내거나 비슷한 모양을 발견하는 능력을 말합니다.

1일 • 사용한 모양 찾기   • 같은 모양 찾아 색칠하기

2일 • 로봇 완성하기   • 접어서 자른 모양 찾기

3일 • 색칠한 모양의 위치 찾기   • 동물의 그림자 찾기

4일 • 똑같은 모양 연결하기   • 똑같은 모양 색칠하기

5일 • 합쳐서 동그라미 만들기   • 블록으로 퍼즐 완성하기

사용한 모양 찾기

모양을 3개씩 사용하여 왼쪽과 같이 꾸몄어요.
사용한 모양을 모두 찾아 선으로 이어요.

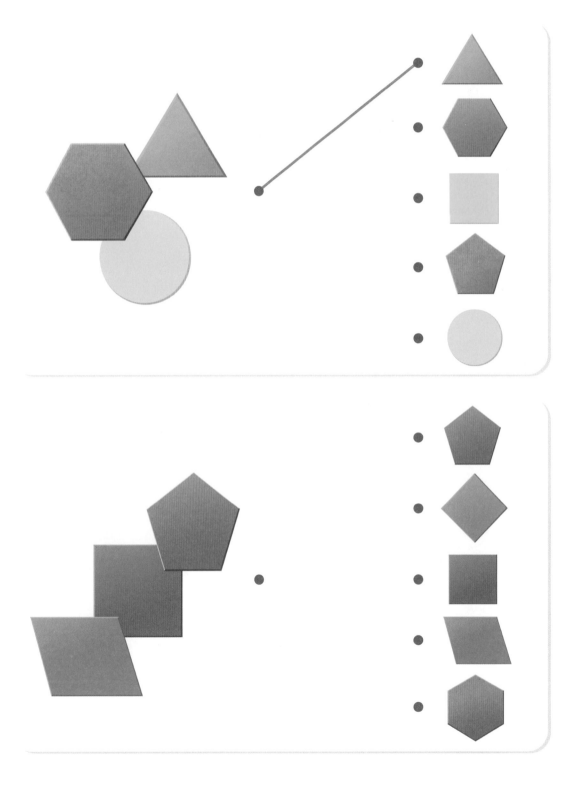

🔑 사용한 모양과 색깔을 함께 생각해 보아요.

같은 모양 찾아 색칠하기

세 가지 색으로 그림을 색칠하려고 해요.

규칙에 따라 같은 모양은 같은 색으로 칠해요.

한 가지 색으로 같은 모양을 모두 칠한 다음 다른 색으로 칠해 보아요.

2일 로봇 완성하기

보기에 있는 재료들로 로봇을 만들려고 해요.

알맞게 완성된 로봇을 찾아 ○ 해요.

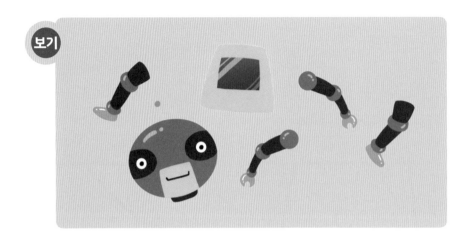

보기

보기에 있는 재료와 완성된 로봇들의 얼굴, 팔, 몸통, 다리의 모양과 색깔을 비교해 보아요.

접어서 자른 모양 찾기

색종이를 반으로 접은 다음 일부를 가위로 오렸어요.
오린 것을 다시 펼친 모양을 찾아 선으로 이어요.

🔑 접어서 오린 모양은 펼친 모양의 절반과 같아요.

색칠한 모양의 위치 찾기

네 가지 모양들을 세 가지 색으로 칠하려고 해요.
색칠한 모양이 들어갈 위치를 찾아 빈칸에 알맞은 번호를 써요.

1	2	3	4
5	6	7	8
9	10	11	12

3

👆 색깔과 모양을 각각 살펴본 후 색깔과 모양이 만나는 위치를 찾아보아요.

동물의 그림자 찾기

고양이와 강아지의 그림자를 찾으려고 해요.
알맞은 그림자를 찾아 빈칸에 번호를 써요.

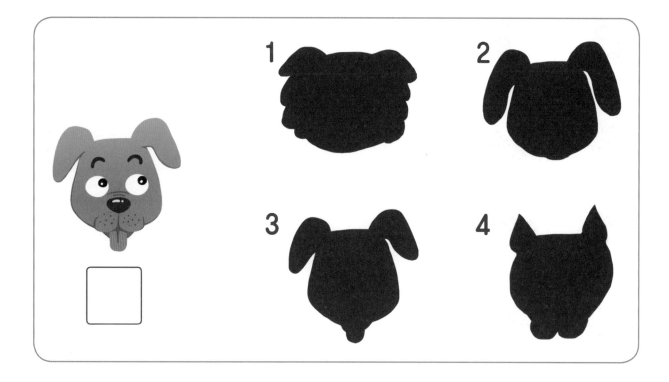

🦴 고양이와 강아지의 얼굴이나 귀, 수염 등의 모양을 살펴보아요.

똑같은 모양 연결하기

검은색과 하얀색의 다양한 도형들로 이루어진 모양이 있어요.
같은 모양을 찾아 선으로 이어요.

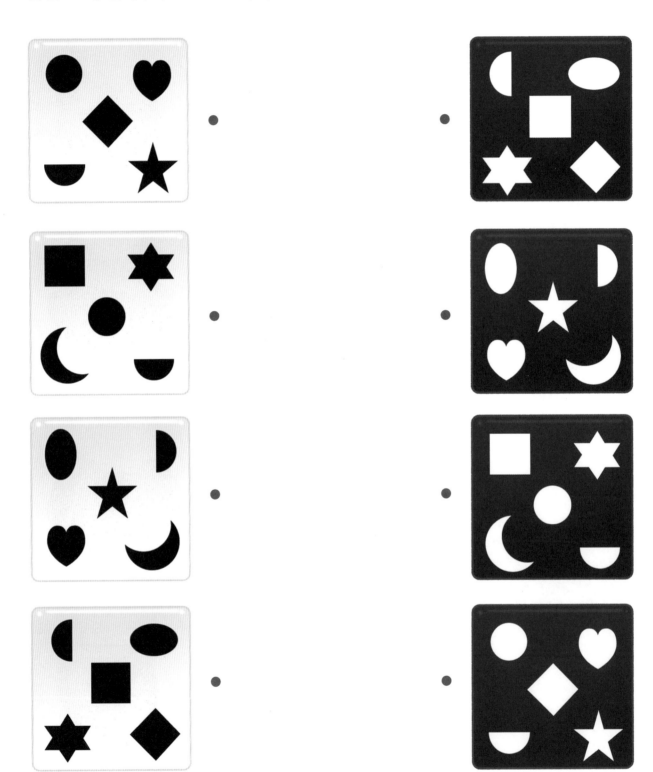

한 가지 도형을 정해서 같은 위치에 있는 두 모양을 찾아보아요.

똑같은 모양 색칠하기

아래 그림에는 여러 가지 모양이 있어요.

보기에 있는 모양과 똑같은 모양을 찾아 같은 색으로 칠해요.

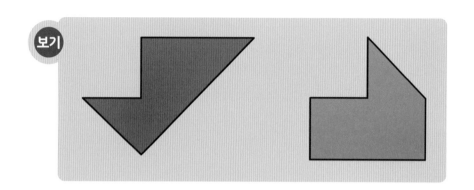

🦴 **보기**에 있는 모양과 닮지 않은 모양부터 하나씩 찾아 ✗ 해 보아요.

5일 합쳐서 동그라미 만들기

3개의 모양을 겹치지 않게 합쳐서 동그라미를 만들려고 해요.
필요하지 않은 나머지 모양을 하나 찾아 ○ 해요.

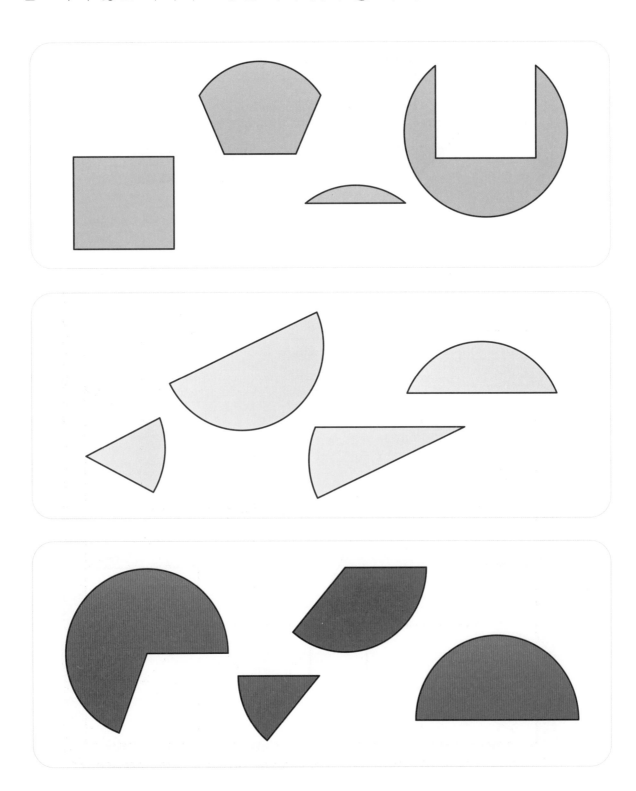

🔑 3개의 모양을 합쳤을 때 동그라미가 되기에 모자라거나 넘치지 않는지 살펴보아요.

블록으로 퍼즐 완성하기

3개의 블록을 한 번씩만 사용하여 아래의 퍼즐을 완성해 보세요.

그리고  에 놓이는 블록을 찾아 ◯ 해요.

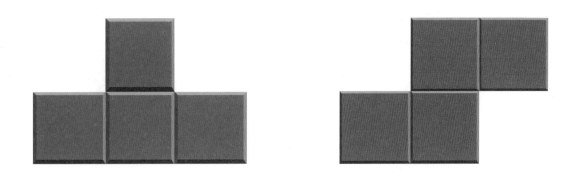

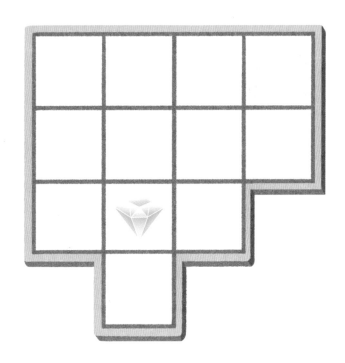

🔑 3개의 블록을 돌려 가면서 퍼즐을 완성해 보아요.

오리 체조를 해요

다음 동작을 순서대로 하나씩 천천히 따라해 보아요.

① 앞을 바라보고
똑바로 서요.

② 의자에 앉은 것처럼
무릎을 구부려요.

③ 두 팔을 위로 올리고
30초 동안 가만히 있어요.

④ 처음 자세로 돌아와
마무리해요.

3주

변별

변별력이란 위치와 색깔, 부분과 전체, 같거나 다른 그림을 구분하는 능력을 말합니다.

1일
- 비빔밥 그림 맞추기
- 동물 구분하기

2일
- 똑같은 색깔 연결하기
- 친구 찾기

3일
- 똑같은 표정 찾기
- 짝꿍 조각 연결하기

4일
- 똑같은 사람 찾기
- 그림자 구분하기

5일
- 뚜껑 연결하기
- 앞모습 찾기

비빔밥 그림 맞추기

수빈이가 언니 몰래 비빔밥을 먹었어요.
사라진 부분에 들어갈 알맞은 그림을 아래에서 찾아 숫자로 써요.

1

2

3

4

5

🔖 1~5 그림에서 음식 재료의 색깔이나 모양을 잘 살펴보아요.

동물 구분하기

예린이는 예쁜 고양이를 키우고 있어요.

예린이가 키우는 고양이가 아닌 동물을 모두 찾아 ◯ 해요.

🦴 고양이의 모습과 비슷하지만 다른 종류의 동물을 찾아보아요.

2일 똑같은 색깔 연결하기

네모 모양에 여러 가지 색을 칠했어요.
똑같은 색으로 칠해진 모양을 찾아 선으로 이어요.

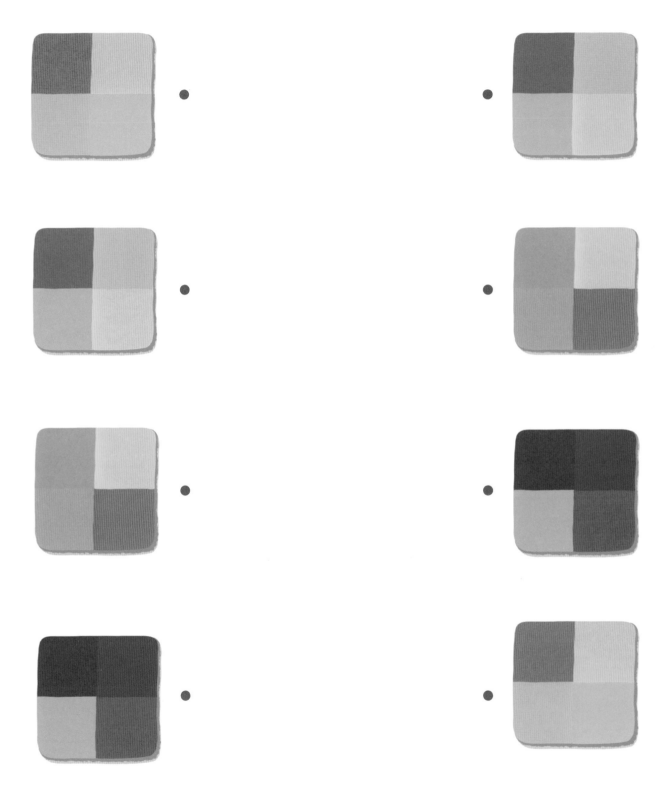

👆 왼쪽과 오른쪽의 네모 모양에 각각 칠해진 색깔을 비교해 보아요.

친구 찾기

나와 가장 친한 친구를 소개할게요.

다음 설명에 알맞은 친구를 찾아 ◯ 해요.

 설명
- 안경을 쓰고 있지 않아요.
- 노란색 옷을 입은 여자 친구예요.

설명과 알맞지 않은 친구를 한 명씩 ✗ 해 보아요.

3일 똑같은 표정 찾기

아홉 명의 친구들이 모여 있어요.

친구들이 다 같이 표정 짓기 놀이를 하고 있네요.

똑같은 표정을 지은 친구를 모두 찾아 ○ 해요.

친구들의 눈썹 모양, 눈 모양, 입 모양을 하나하나 비교하며 살펴보아요.

짝꿍 조각 연결하기

조각나라에는 딱 맞는 짝꿍 조각이 있어요.
짝꿍 조각이 서로 만나야 행복해질 수 있어요.
알맞은 짝꿍 조각끼리 선으로 이어요.

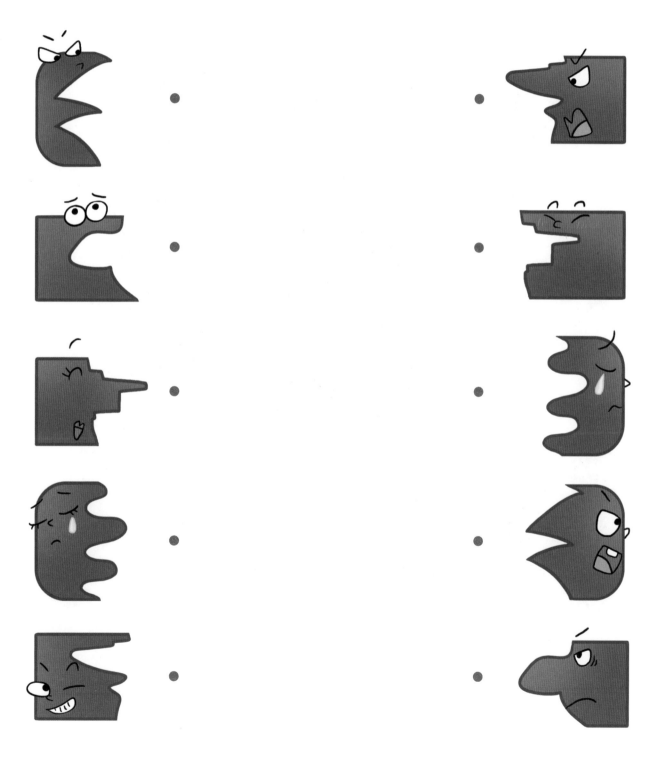

🧩 왼쪽과 오른쪽 조각에서 튀어나온 부분과 들어간 부분을 하나씩 비교해 보아요.

4일 똑같은 사람 찾기

소민이와 친구들이 운동장에서 공놀이를 하고 있어요.
각각 다양한 종류의 공을 가지고 신나게 놀고 있네요.
그중 소민이의 모습을 찾아 ○ 해요.

소민

소민이가 어떤 모습으로 공놀이를 하고 있는지 살펴보아요.

그림자 구분하기

정리정돈을 하지 않아 물건이 마구 뒤섞여 있어요.

뒤섞인 물건의 그림자를 보고, 해당하는 물건을 찾아야 해요.

아래 그림에서 알맞은 물건을 모두 찾아 ○ 해요.

🔧 그림자의 모양과 아래 물건들의 모양을 비교해 보아요.

5일 뚜껑 연결하기

냄비 안에 맛있는 찌개가 보글보글 끓고 있어요.

냄비 크기에 알맞은 뚜껑을 찾아 선으로 이어요.

냄비의 크기와 뚜껑의 크기를 하나씩 비교해 보아요.

앞모습 찾기

아기돼지 삼형제가 가족사진을 찍었어요.

사진이 찍힌 모습으로 알맞은 것을 찾아 ◯ 해요.

🌡 아기돼지 삼형제의 옷차림, 머리 모양, 몸짓을 살펴보아요.

킹콩 체조를 해요

다음 동작을 순서대로 하나씩 천천히 따라해 보아요.

①

손바닥과 무릎을 바닥에 대고
엎드리는 자세를 해요.

②

뿡!

히히～

바닥에서 무릎을 떼고
엉덩이를 그대로 들어 올려요.

③

쭈우욱～

무릎을 바닥에 대면서
몸을 앞으로 쭉 늘여요.
1분 동안 가만히 있어요.

4주

공간 지각

공간지각력이란 상하, 좌우, 앞뒤 공간의 개념을 이해하고 방향을 찾는 능력을 말합니다.

장난감 상자 고르기

장난감을 각각 상자에 담으려고 해요.

장난감의 모양과 크기에 알맞은 상자를 찾아 선으로 이어요.

🔑 장난감의 크기나 길이를 살펴보고 상자에 들어갈 수 있을지 생각해 보아요.

고양이와 바구니 찾기

고양이가 바구니 근처에서 놀고 있어요.

고양이와 바구니의 위치로 알맞은 것을 찾아 선으로 이어요.

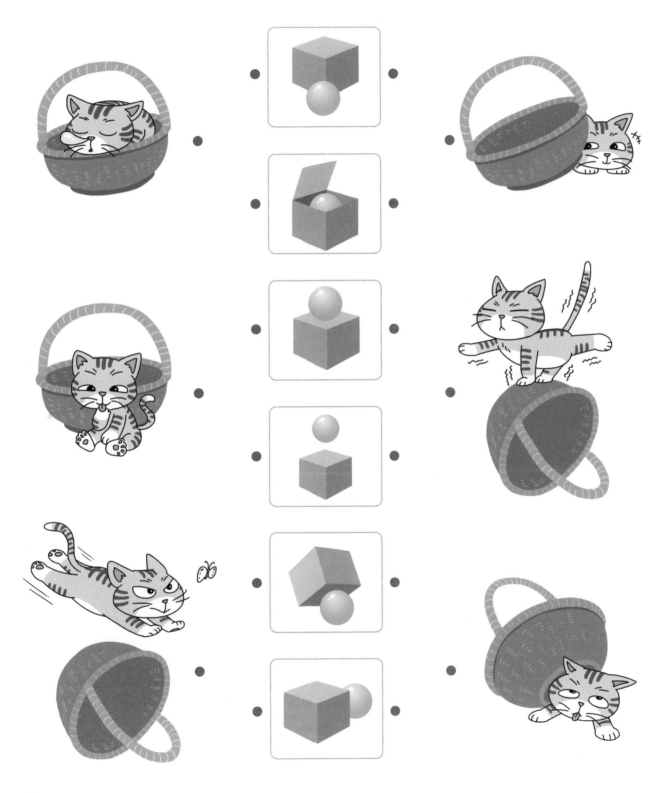

🔑 바구니를 네모난 모양으로, 고양이를 동그란 모양으로 생각해 보아요.

.2일 종이 색칠하기

기다란 종이가 여러 장 겹쳐 있어요.

맨 위에 있는 종이는 빨간색으로, 맨 아래에 있는 종이는 파란색으로 칠해요.

위에 있는 종이부터 하나씩 번호를 쓰며 찾아보아요.

골대 안으로 축구공 넣기

골대 안으로 축구공을 넣으려고 해요.
알맞은 길을 찾아 선을 그어요.

🔑 선을 긋다가 길이 끊기면 X를 하고 다시 갈림길부터 다른 길을 찾아보아요.

바라본 모양 찾기

네 명의 친구들이 블록으로 만든 모양을 보고 있어요.

아래의 모양은 각각 누가 바라본 모양인지 빈칸에 이름을 써요.

혜정

진호

영주

윤태

모양과 색을 살펴본 후 누가 바라본 모양인지 찾아보아요.

동물 찾기

동물원에는 다양한 동물들이 살고 있어요.
질문을 읽고 알맞은 동물을 찾아 빈칸에 이름을 써요.

- 펭귄 아래쪽에 있는 동물은 무엇일까요?

- 기린 오른쪽으로 2번째에 있는 동물은 무엇일까요?

- 사슴 왼쪽으로 3번, 위쪽으로 2번째에 있는 동물은 무엇일까요?

🌡 위쪽, 아래쪽, 오른쪽, 왼쪽이 어느 방향인지 먼저 살펴보아요.

겹친 모양 색칠하기

왼쪽 4개의 모양을 겹쳤더니 오른쪽 모양이 되었어요.
어떻게 겹친 것인지 알맞게 색칠해요.

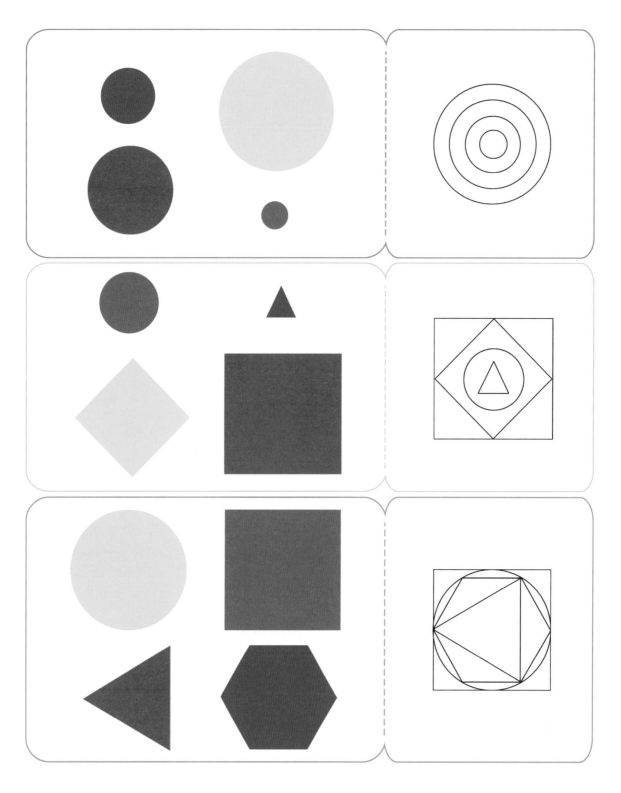

🔑 가장 위에 있는 모양부터 색칠해 보아요.

도망치는 길 찾기

토끼가 호랑이를 피해서 도망치고 있어요.
출발부터 도착까지 알맞은 길을 따라 선을 그어요.

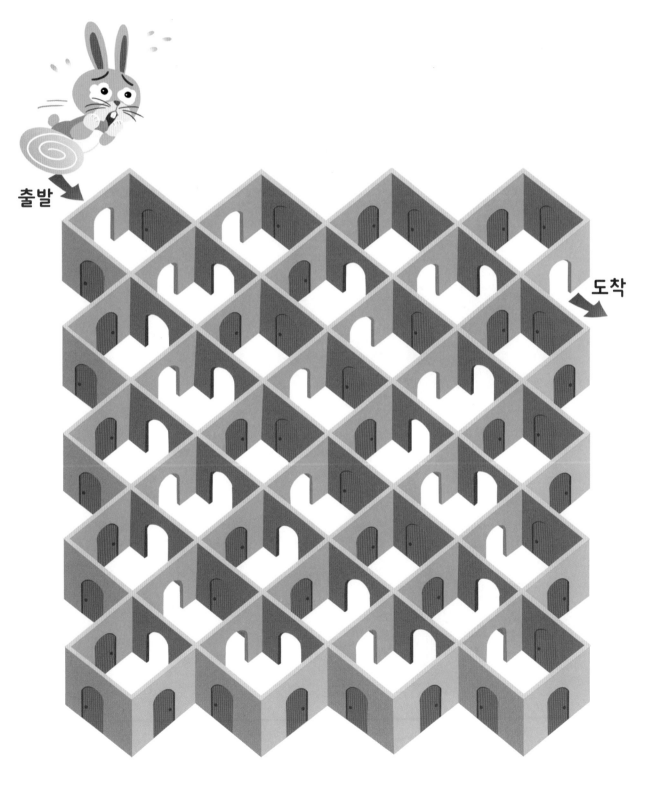

출발

도착

🔑 열린 문으로 선을 그으며 알맞은 길을 찾아보아요.

타일로 바닥 덮기

타일을 여러 개 사용하여 오른쪽의 바닥을 빈틈없이 덮으려고 해요.
어떻게 덮으면 될지 왼쪽 모양으로 오른쪽 바닥을 나누어요.

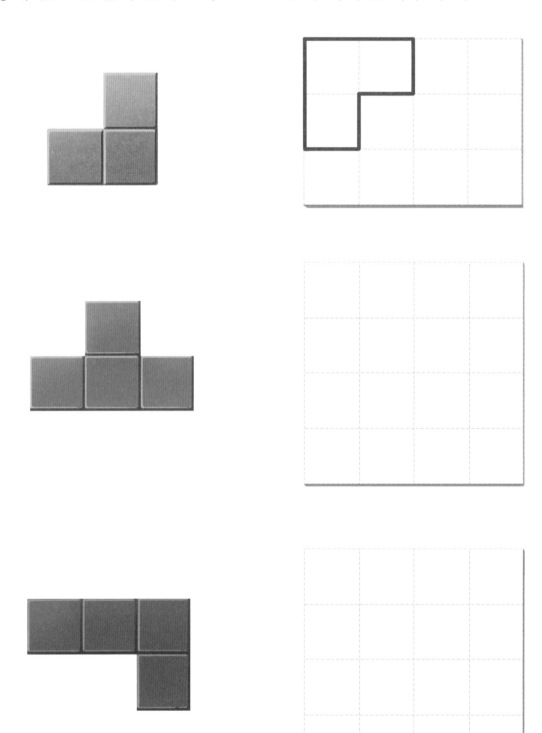

🔧 왼쪽 모양을 돌려 가며 오른쪽 바닥을 남는 부분 없이 나누어 보아요.

거울에 비친 모습 찾기

친구들이 거울을 보고 있어요.
거울에 비친 모습으로 알맞은 그림을 찾아 ◯ 해요.

🌱 거울에 비친 모습은 본래 모습의 왼쪽과 오른쪽이 서로 바뀌어요.

아기 곰 체조를 해요

다음 동작을 순서대로 하나씩 천천히 따라해 보아요.

①

등을 바닥에 대고
편하게 누워요.
다리는 살짝 구부려요.

②

무릎이 배에 닿도록
다리를 올린 다음,
손으로 발바닥을 잡아요.

③

영차!
영차!
힘내!!

무릎을 쭉 펴고,
30초 동안 가만히 있어요.
발에서 손이 떨어지면 안 돼요!

5주

협응

협응력이란 눈과 손의 시선을 일치시켜 선을 긋거나 점을 잇고, 면을 색칠하는 능력을 말합니다.

1일 순서대로 점 잇기

동물 친구들을 만나 볼까요?

1부터 50까지 순서대로 점을 선으로 이어요.

🌡 점과 점 사이를 곧은 선으로 그려야 그림이 예쁘게 그려져요.

번호대로 색칠하기

어디선가 공룡 소리가 들리는 것 같아요!

공룡 친구들을 만나기 위해 1부터 5까지 번호대로 색칠해요.

1부터 5까지의 번호에 해당하는 색깔이 무엇인지 먼저 맞춰 보아요.

2일 작은 그림 크게 그리기

작은 바둑판 모양에 코끼리가 있어요.

모습은 똑같고 크기만 큰 코끼리를 큰 바둑판 모양에 그려요.

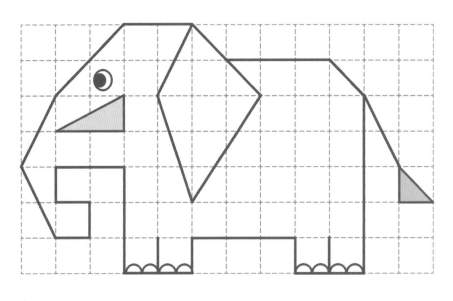

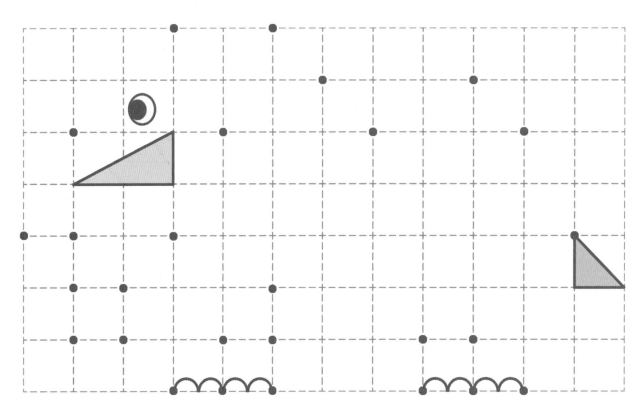

🔑 바둑판 모양의 칸을 하나하나 따라가며 그림을 그려요.

지나간 길 비교하기

오리와 닭이 걸어간 길을 각각 선으로 그은 다음,
누가 더 빠른 길로 갔는지 이야기해요.

🔑 그은 선의 길이가 짧은 것이 더 빠른 길로 간 거예요.

협응 **59**

3일 똑같이 선 긋기

나비가 노란색 꽃의 꿀을 먹으려고 여행을 했어요.
나비가 지나간 길과 똑같이 아래쪽 그림에 선을 그어요.

🔑 나비가 어느 꽃과 어느 꽃 사이를 지나갔는지 잘 보아요.

똑같이 색칠하기

예쁜 꽃이 피었어요!

위쪽 그림과 똑같이 되도록 아래쪽 그림의 빈칸에 색칠해요.

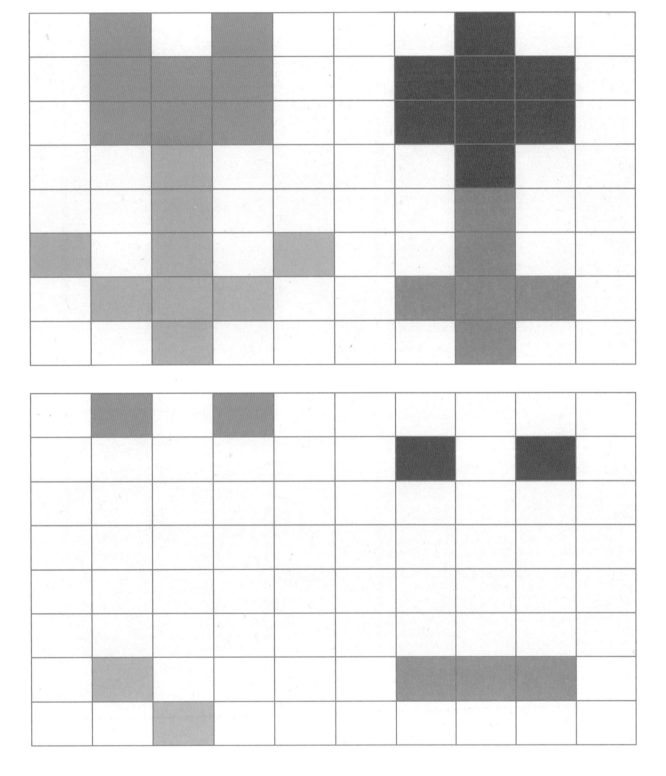

어느 칸이 색칠되어 있고 비어 있는지 잘 보고, 한 칸씩 따라가며 색칠해요.

4일 상상해서 선 그리기

나무 판 구멍에 줄을 팽팽하게 꿰었어요.

나무 판 뒷면의 줄의 모습을 상상해서 나무 판 앞면에 그려요.

그 다음, 줄의 길이가 가장 긴 것을 골라 빈칸에 번호를 써요.

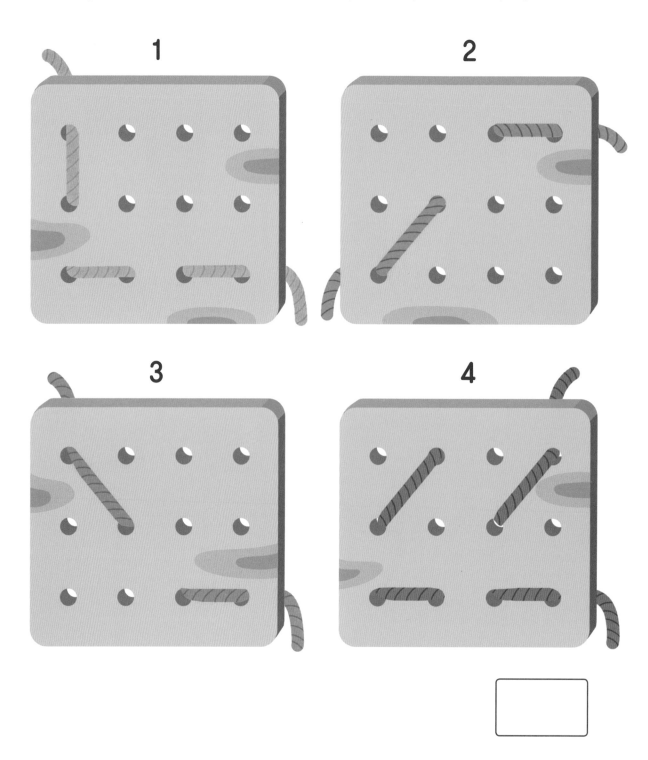

🔑 나무 판 앞면과 뒷면의 줄을 모두 연결하면 전체 줄이 돼요.

색칠하고 이름 찾기

'ㅇ'이 들어간 곳은 빨간색으로, 'ㅁ'이 들어간 곳은 파란색으로,

'ㅅ'이 들어간 곳은 갈색으로 칠해요.

그 다음, 글자 세 개를 골라 빈칸에 완성된 새의 이름을 써요.

🔑 'ㅇ', 'ㅁ', 'ㅅ'이 들어가지 않은 곳에는 색칠하면 안 돼요.

5일 똑같이 점 잇기

세 가지 모양의 자동차가 있어요.

오른쪽 그림의 점을 이어 왼쪽 자동차와 똑같은 자동차를 완성해요.

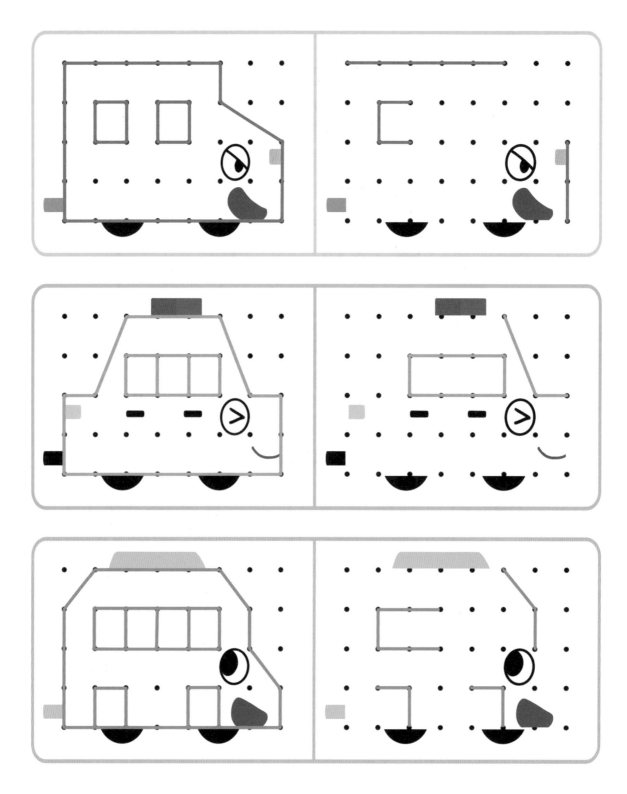

🔑 왼쪽 그림에서 어떤 점과 어떤 점이 이어져 있는지 잘 보아요.

마주보게 색칠하기

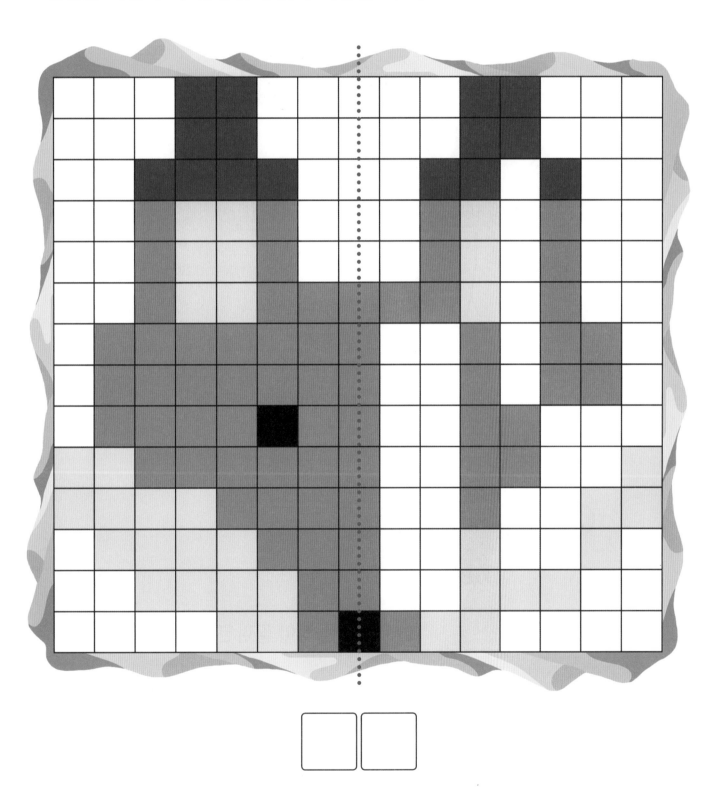

가운데 점선을 접었을 때 마주보는 칸이 같은 색깔이 되도록
빈칸을 색칠하고, 완성된 동물의 이름을 써요.

🌡 물감으로 칠해 마르지 않은 종이를 반으로 접었다고 생각해 보아요.

콩나물 체조를 해요

집중 쑥쑥

다음 동작을 순서대로 하나씩 천천히 따라해 보아요.

①

앞을 보고 똑바로 선 다음,
발가락을 들어올렸다가 발꿈치를 들어올려요.
1분 동안 같은 동작을 반복해요.

②

동작이 끝나면 천천히
어깨를 돌리며 마무리해요.
앞으로 다섯 번, 뒤로 다섯 번 돌리세요.

6주

관찰

관찰력이란 숨어 있는 사물을 찾아내거나 조건에 맞는
상황을 발견하는 능력을 말합니다.

1일
- 사진 찾기
- 서로 다른 부분 찾기

2일
- 발자국 구분하기
- 숨은 그림 찾기

3일
- 사진 조각 찾기
- 얼굴 표정 찾기

4일
- 왼손, 오른손 찾기
- 규칙 찾기

5일
- 다른 퍼즐 조각 찾기
- 고리 연결 규칙 찾기

사진 찾기

가족과 여행을 가서 찍었던 사진이 찢어졌어요.

사진 조각을 이어 붙여 완성된 사진에 ◯ 해요.

🔑 찢어진 사진 조각을 이어 붙이면 어떤 사진이 될지 생각해 보아요.

서로 다른 부분 찾기

놀이공원에 가서 재미있게 놀았어요.

서로 다른 부분을 다섯 군데 찾아 아래 그림에 ◯ 해요.

🎺 두 그림을 전체적으로 본 다음 하나하나 자세히 비교하며 살펴보아요.

발자국 구분하기

민수와 함께 사는 동물들이 집 안에 발자국을 남겨 놓았어요.
민수가 키우지 않는 동물을 찾아 ◯ 해요.

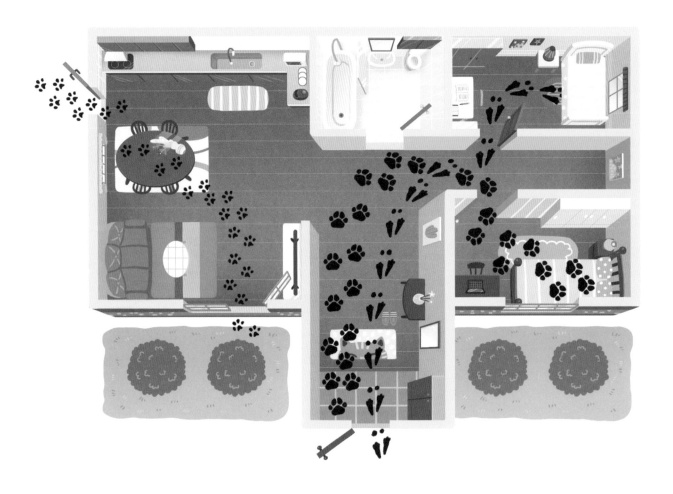

🔑 집 안에 남긴 발자국 모양과 아래 발자국 모양을 비교해 보아요.

숨은 그림 찾기

숨은 그림을 찾아야 파워맨들이 괴물을 물리칠 수 있어요.
다음에서 숨은 그림 다섯 개를 찾아 ◯ 해요.

숨은 그림	컵, 도넛, 연필, 모자, 프라이팬

🔍 그림 구석구석을 살펴서 숨은 그림을 찾아보아요.

사진 조각 찾기

바닥에 사진 조각이 흩어져 있어요.

강아지 푸푸가 나의 얼굴 사진을 조각조각 찢어 놓았네요.

아래 내 얼굴의 모습과 표정이 담긴 사진 조각이 아닌 것에 ◯ 해요.

나의 얼굴 사진

🦴 나의 얼굴 사진과 사진 조각을 주의 깊게 비교해 보아요.

얼굴 표정 찾기

우리는 기분에 따라 여러 가지 표정을 지어요.

기쁨, 슬픔, 분노 등 다양한 감정을 표정으로 표현할 수 있지요.

왼쪽의 표정과 똑같은 표정을 찾아 ◯ 해요.

🌡 왼쪽의 표정과 오른쪽의 나머지 표정들을 비교해 보아요.

관찰 **73**

왼손, 오른손 찾기

친구들과 가위바위보 놀이를 했어요.

친구들의 손을 보고 오른손은 ◯, 왼손은 △ 해요.

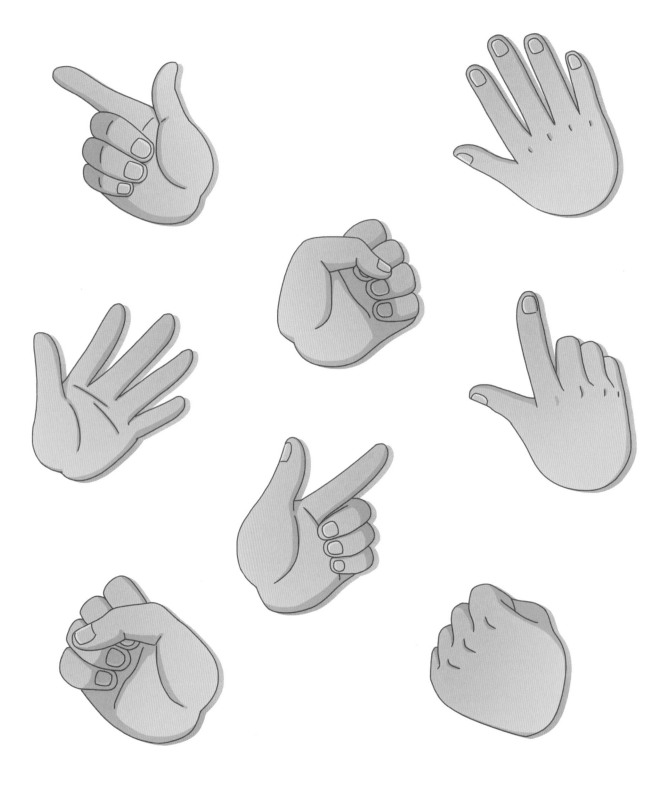

🖐 오른손과 왼손의 손가락 위치와 방향을 잘 살펴보아요.

규칙 찾기

시원하고 맛있는 과일 빙수를 먹었어요.

빙수 위에 있는 과일과 같은 순서로 놓인 단추를 찾아 선으로 이어요.

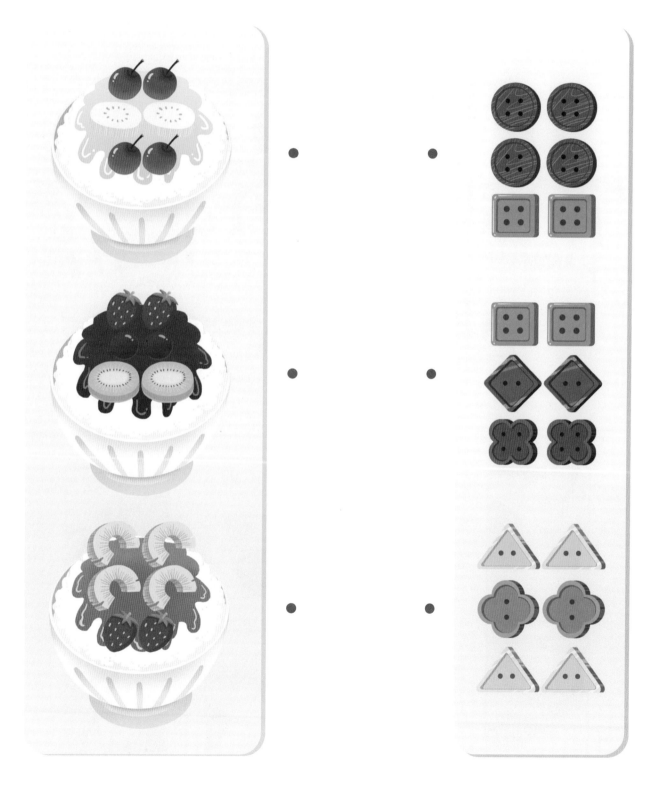

🔑 빙수 위의 과일, 단추가 놓인 순서와 종류를 비교해 보아요.

5일 다른 퍼즐 조각 찾기

오늘은 우리 집에 친구들을 초대한 날이에요.

친구들과 함께 엄마께서 해 주신 맛있는 간식을 잔뜩 먹었어요.

아래에서 알맞지 않은 퍼즐 조각을 찾아 ○ 해요.

위 그림과 아래 퍼즐 조각을 천천히 비교해 보아요.

고리 연결 규칙 찾기

관찰

오늘은 곰돌이의 생일이에요.

동물 친구들이 곰돌이의 생일 선물로 색종이 목걸이를 만들었어요.

다음 규칙에 따라 색종이 고리를 연결한 동물 친구를 찾아 ○ 해요.

🔑 노란색과 초록색이 몇 번씩 나오는지 세어 보아요.

바람 체조를 해요

다음 동작을 순서대로 하나씩 천천히 따라해 보아요.

똑바로 선 다음,
양팔을 머리 위로 쭉 뻗어요.
손바닥은 서로 마주보게 해요.

몸을 앞으로 구부리고
좌우로 여러 번 움직여요.
손이 바닥에 닿도록 해요.

1분 뒤 서 있는
자세로 천천히 돌아와요.
몸을 편하게 하여 마무리해요.

7주

모양
지각

모양지각력이란 같은 모양 또는 다른 모양을 찾아내거나
비슷한 모양을 발견하는 능력을 말합니다.

1일 같은 모양끼리 색칠하기

여러 가지 모양으로 그림을 그렸어요.

보기에 있는 모양과 같은 모양을 찾아 같은 색으로 칠해요.

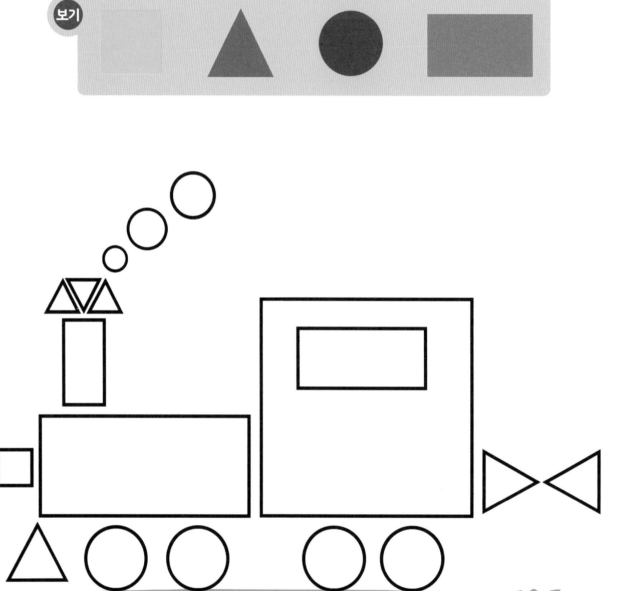

그림에서 한 가지 모양부터 같은 색으로 칠해 나가요.

규칙에 맞게 색칠하기

같은 모양의 배를 여러 개 그렸어요.
그린 배들을 규칙에 맞게 모두 색칠해요.

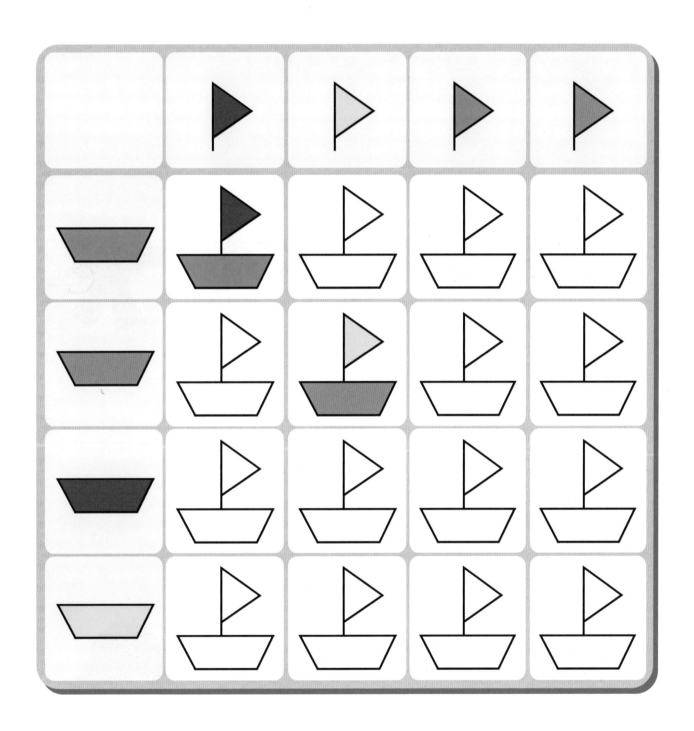

🖍 배의 몸체와 깃발이 각각 어떤 색인지 먼저 살펴보아요.

2일 손으로 만든 모양 찾기

손으로 동물 모양을 만든 다음 그림자를 만들었어요.
만든 그림자를 찾아 선으로 이어요.

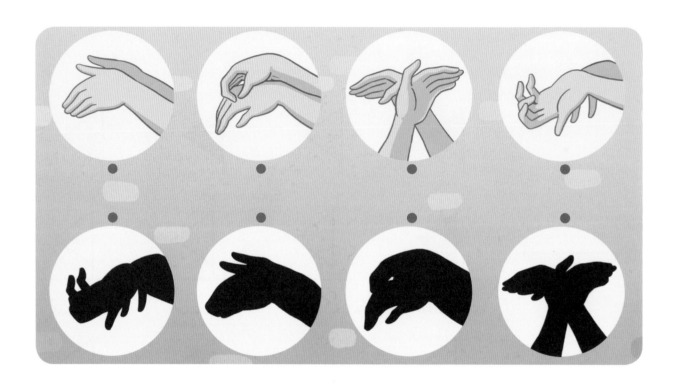

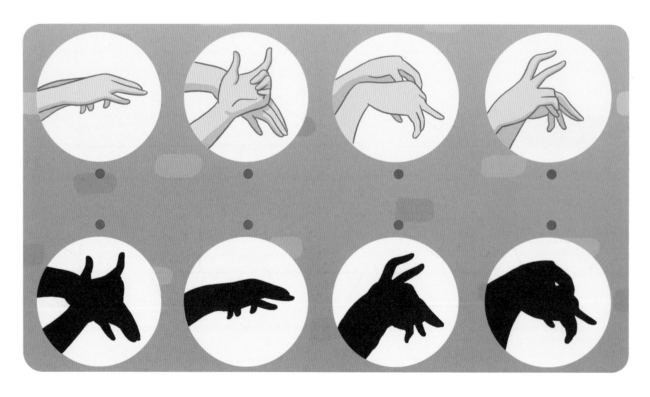

🔦 어두운 곳에서 직접 손으로 모양을 만든 후 빛을 비추어 그림자를 확인할 수 있어요.

합쳐서 네모 만들기

왼쪽과 오른쪽 모양을 합쳐서 네모 모양을 만들려고 해요.
알맞은 모양끼리 선으로 이어요.

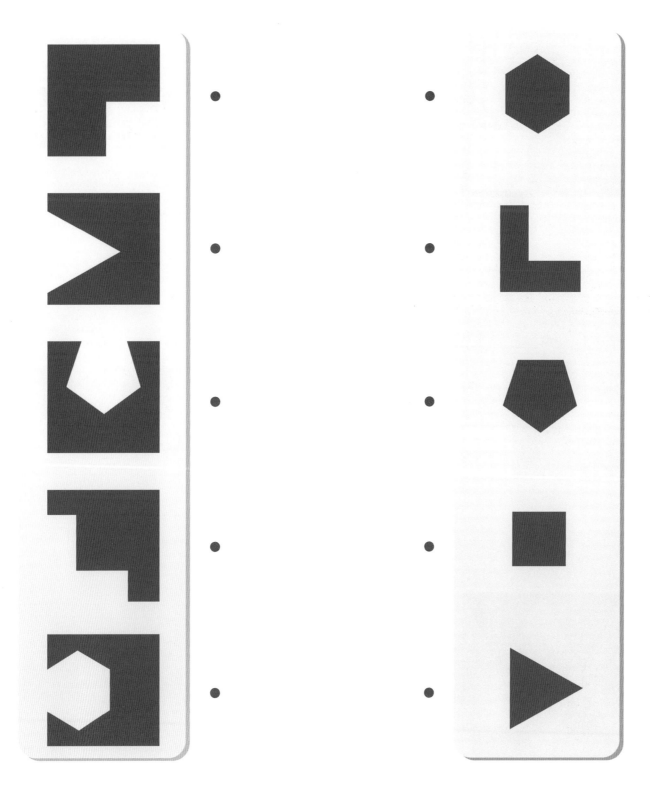

👆 왼쪽 모양의 빈 공간과 오른쪽 모양이 같아야 해요.

잘린 모양 찾기

그림의 잘린 부분에는 어떤 모양이 들어가야 할까요?
알맞은 모양을 찾아 ◯ 해요.

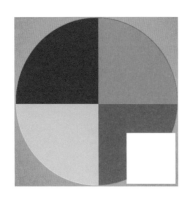

잘린 부분 주변의 모양과 색깔을 살펴보아요.

똑같은 모양 찾기

여러 가지 맛있는 과일들이 있어요.

다음 모양과 순서가 같은 곳을 찾아 과일을 색칠해요.

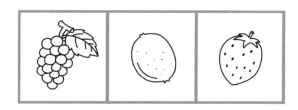

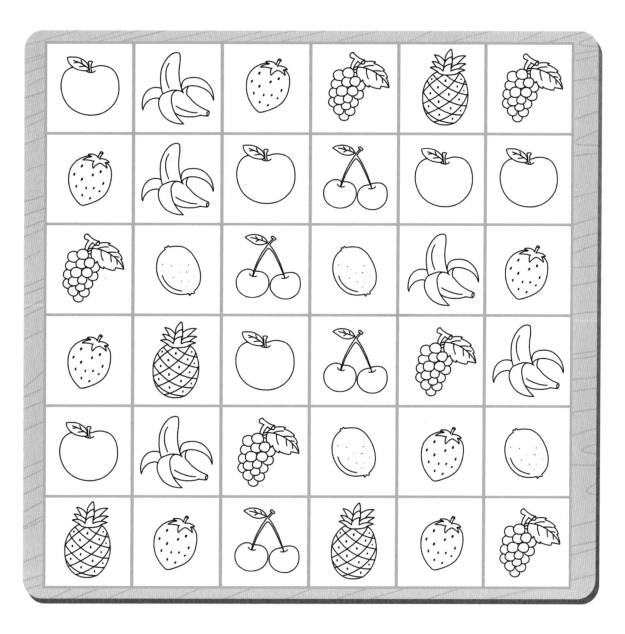

🍀 주어진 모양에서 과일의 순서를 먼저 살펴보아요.

필요 없는 블록 찾기

블록으로 자동차를 만들었어요.

아래의 그림에서 필요 없는 블록을 모두 찾아 ✗ 해요.

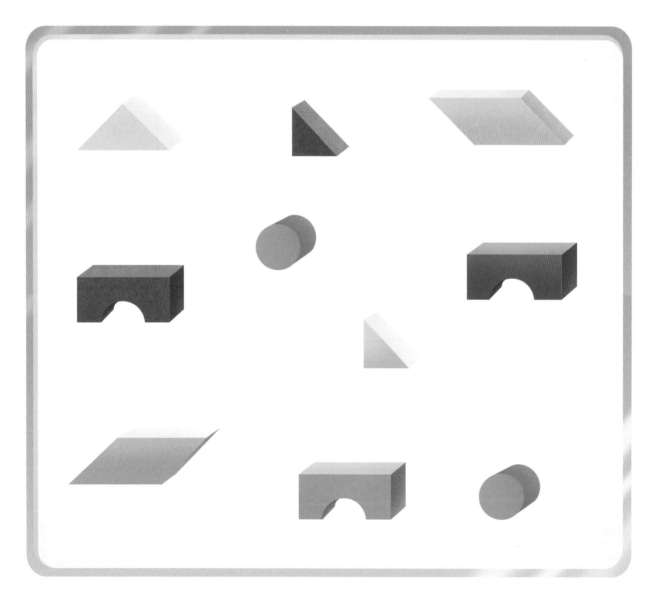

🔧 자동차를 만드는 데 필요한 블록부터 찾아보아요.

비슷한 모양 연결하기

동그라미와 네모로 모양을 만들었어요.
규칙을 찾아 왼쪽 모양과 비슷한 모양을 각각 선으로 이어요.

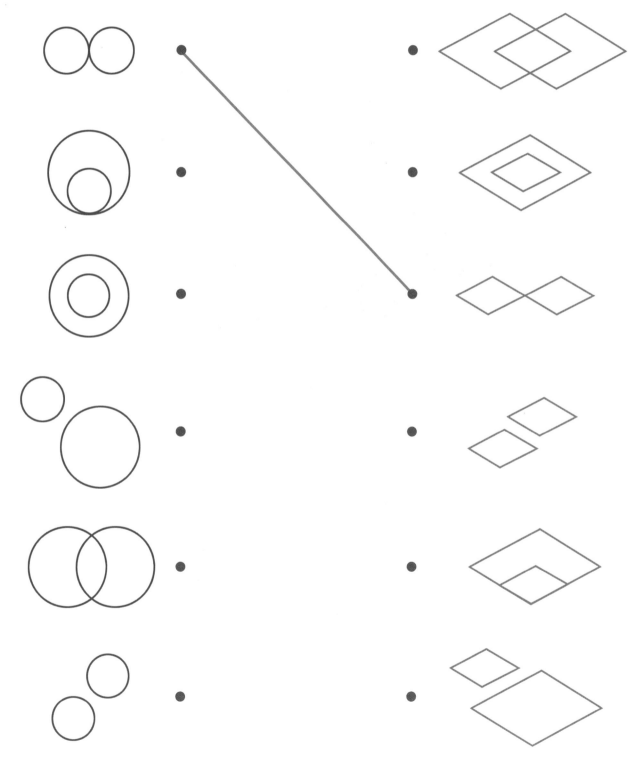

🎋 큰 모양과 작은 모양의 위치와 관계를 살펴보아요.

5일 모양 완성하기

다섯 가지 모양을 모두 사용하여 아래의 모양을 완성하려고 해요.
아래 모양의 빈곳을 알맞게 색칠해요.

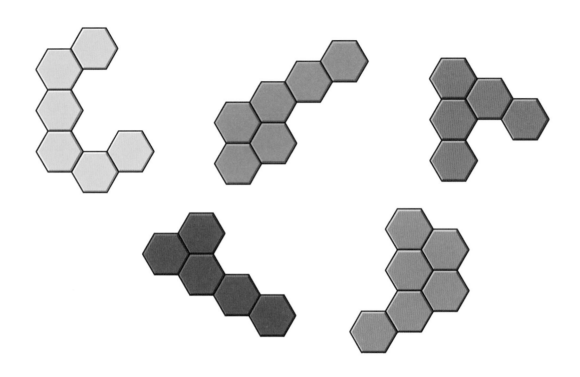

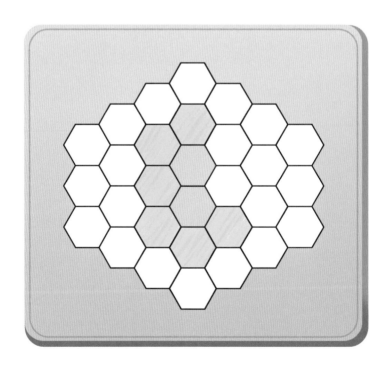

🔑 가장자리에 알맞은 모양부터 찾아 색칠해 보아요.

도형의 모양 찾기

보기 와 같이 도형의 모양이 변하고 있어요.
물음표에 알맞은 도형을 찾아 ◯ 해요.

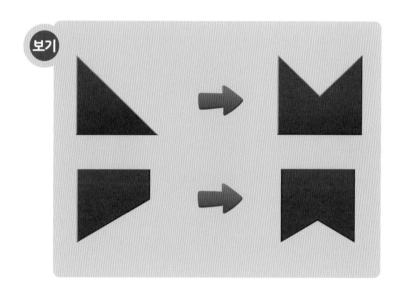

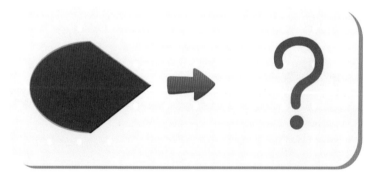

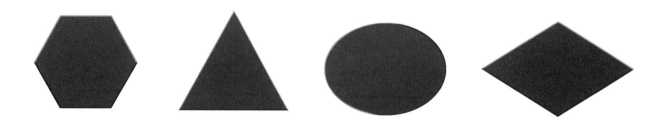

👆 보기 의 도형이 어떤 모양으로 변하는지 살펴보며 규칙을 찾아보아요.

학 체조를 해요

다음 동작을 순서대로 하나씩 천천히 따라해 보아요.

①

똑바로 선 다음, 오른발을
두 손으로 들어올려요.

②

오른발을 왼쪽 무릎에 놓고,
손을 가슴 위로 모아요.

③

천천히 팔을 머리 위로 올리고
눈으로 손을 쳐다봐요.
10초 동안 가만히 있어요.

④

팔과 다리를 내린 다음,
다리를 바꿔 똑같이 반복해요.

8주

변별

변별력이란 위치와 색깔, 부분과 전체, 같거나 다른 그림을 구분하는 능력을 말합니다.

1일 다른 동물 찾기

넓은 들판에서 얼룩말 친구들이 놀고 있어요.

자세히 보니 얼룩말의 모습과 비슷한 동물 친구도 있네요.

얼룩말이 아닌 동물을 모두 찾아 ○ 해요.

🔎 동물 친구들의 몸에 그려져 있는 무늬와 꼬리 모양을 자세히 살펴보아요.

반쪽 나라의 물건은 반으로 쪼개져 있어요.

쪼개진 물건들이 나머지 반쪽을 찾아 원래의 모습으로 돌아가고 싶대요.

각 물건의 알맞은 반쪽을 찾아 ○ 해요.

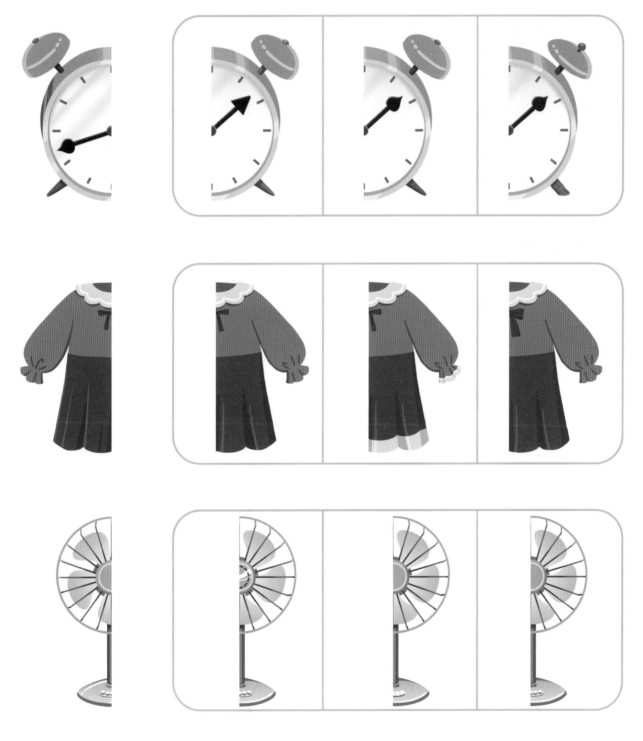

👆 왼쪽의 반쪽 그림과 딱 맞는 짝꿍 그림을 찾아보아요.

이상한 그림자 찾기

그림자 요정이 동물들의 그림자로 장난을 치고 있어요.

요정의 장난 때문에 동물들의 움직임과 그림자가 서로 맞지 않아요.

그림자에서 이상한 부분을 다섯 군데 찾아 ◯ 해요.

🔍 동물의 모습과 그림자 모양을 비교해 보아요.

똑같은 사과 찾기

거센 태풍 때문에 나무에 달린 사과들이 다 떨어질 것 같아요.
사과들이 나무에서 떨어지지 않으려고 안간힘을 쓰고 있네요.
다음 사과의 표정과 똑같은 것을 모두 찾아 ◯ 해요.

🔑 사과나무에 달린 사과의 표정을 잘 살펴보아요.

지갑 주인 찾기

현섭이가 길에 떨어져 있는 지갑을 주웠어요.

지갑 속 사진과 똑같은 모습을 한 주인을 찾아 ◯ 해요.

지갑 속 사진의 머리 모양과 옷차림, 고양이의 모습을 살펴보아요.

물건 찾기

뒤죽박죽 나라의 어느 방에서 다음 물건을 찾아야 해요.
해당하는 물건을 모두 찾아 ◯ 해요.

사과, 양말, 다리미, 병아리, 비행기

천천히 여유를 갖고 물건을 찾아보아요.

4일 그림자 주인공 찾기

그림자 인형극 놀이를 하고 있어요.

그림자 인형극에 등장하지 않은 주인공을 찾아 ◯ 하세요.

인형극에 등장한 그림자의 모양과 아래 주인공의 모습을 비교해 보아요.

조각 그림 맞추기

뼁뼁 나라의 그림에는 여기저기 구멍이 뼁뼁 뚫려 있어요.
아래 그림의 구멍에 알맞은 조각 그림을 찾아 숫자를 써요.

🌡 아래 그림에서 빠져 있는 부분이 어떤 그림일지 생각해 보고, 조각 그림과 비교해 보아요.

5일 똑같은 모양 찾기

곰돌이가 스케치북에 어떤 모양을 그렸어요.

먼저 스케치북에 그려진 모양과 똑같은 것을 찾아보세요.

그 다음 똑같은 모양이 몇 개인지 세어 그 수를 빈칸에 숫자로 써요.

개

🔑 곰돌이가 그린 모양을 살펴보고, 아래 그림에서 눈을 크게 뜨고 찾아보아요.

뒷모습 찾기

원숭이는 숲속 마을에서 제일 유명한 화가예요.

그래서 토끼는 원숭이에게 자기 얼굴을 그려 달라고 부탁했어요.

토끼의 뒷모습으로 알맞은 것을 찾아 ◯ 해요.

🔑 토끼의 귀 모양과 손을 살펴보아요.

거북 체조를 해요

다음 동작을 순서대로 하나씩 천천히 따라해 보아요.

무릎을 꿇은 자세로
허리를 곧게 세우고
바닥에 똑바로 앉아요.

무릎을 엉덩이 너비만큼 벌리고
엎드리는 자세를 해요.

아~ 시원하다!!

팔을 앞쪽으로 쭉 뻗어요.
1분 동안 자세를 유지해요.

9주

공간 지각

공간지각력이란 상하, 좌우, 앞뒤 공간의 개념을 이해 하고 방향을 찾는 능력을 말합니다.

1일 ● 비슷한 모양의 물건 찾기 ● 사과의 위치 찾기

2일 ● 떨어질 고리 색칠하기 ● 도둑 쫓기

3일 ● 바라본 모양 색칠하기 ● 위에 있는 색종이 찾기

4일 ● 방향 따라 찾아가기 ● 먹을 치즈의 수 구하기

5일 ● 쌓은 블록의 수 구하기 ● 눈금판에 모양 그리기

1일 비슷한 모양의 물건 찾기

여러 가지 모양과 물건이 있어요.

왼쪽 모양과 비슷한 모양의 물건을 찾아 선으로 이어요.

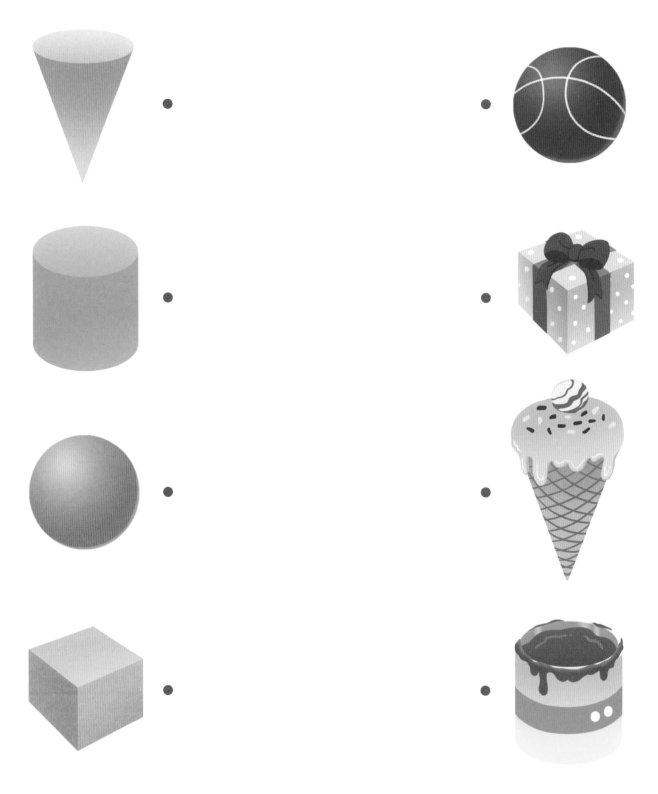

🌡 우리가 직접 보았던 물건들을 떠올려 보아요.

사과의 위치 찾기

사과가 상자와 탁자 주변에 놓여 있어요.
어떻게 놓여 있는지 알맞은 말을 찾아 선으로 이어요.

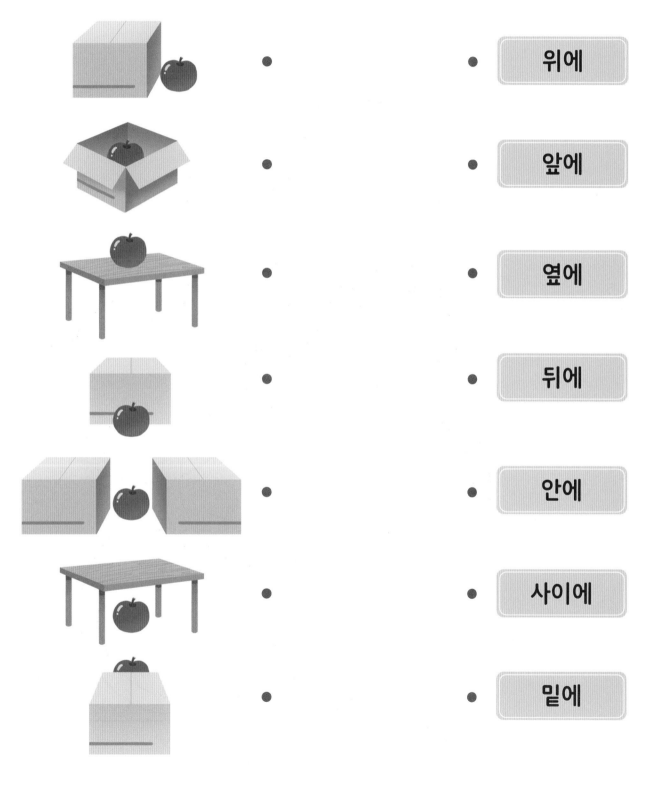

	위에
	앞에
	옆에
	뒤에
	안에
	사이에
	밑에

🌡 사과가 상자나 탁자를 기준으로 어디에 있는지 살펴보아요.

떨어질 고리 색칠하기

고리를 그림과 같이 손으로 잡아 들려고 해요.
떨어질 고리를 모두 찾아 색칠해요.

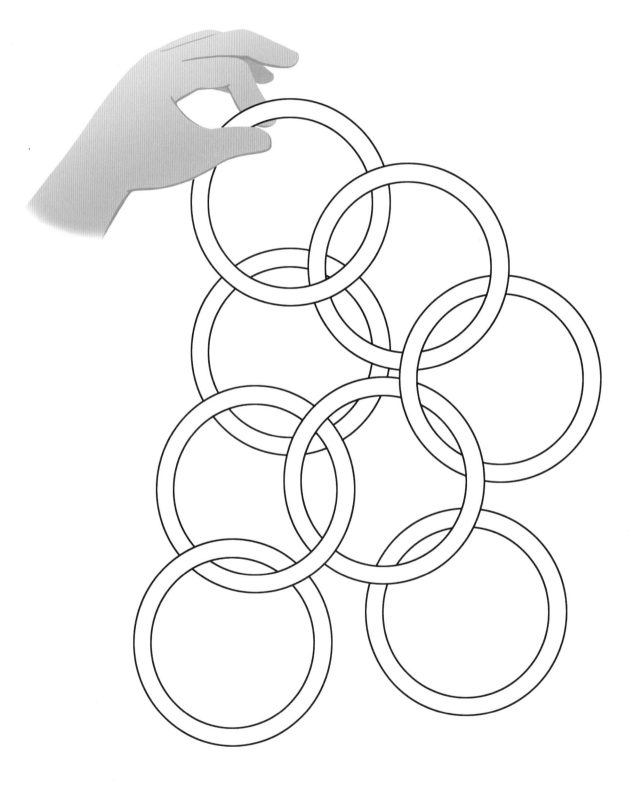

연결되어 있지 않은 고리를 모두 찾아보아요.

도둑 쫓기

도둑이 옥상으로 도망가고 있어요.

경찰 아저씨가 도둑을 잡을 수 있게 알맞은 길을 찾아 선을 그어요.

사다리나 계단을 따라 선을 그어 보며 알맞은 길을 찾아보아요.

3일 바라본 모양 색칠하기

여러 가지 색깔의 블록을 쌓고 세 친구가 각 방향에서 바라보았어요.
바라본 모양을 알맞게 색칠하고 바라본 친구의 이름을 써요.

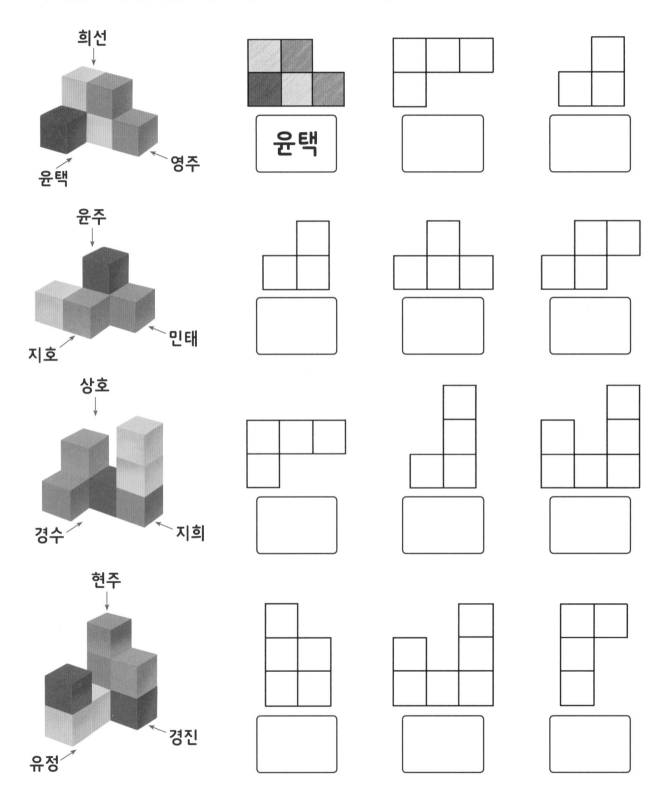

각자 바라본 모양은 여러 가지 색깔의 네모를 붙여 놓은 모양이에요.

위에 있는 색종이 찾기

바닥에 색종이를 여러 장 겹쳐 놓았어요.
가장 위에 있는 색종이부터 차례대로 빈칸에 번호를 써요.

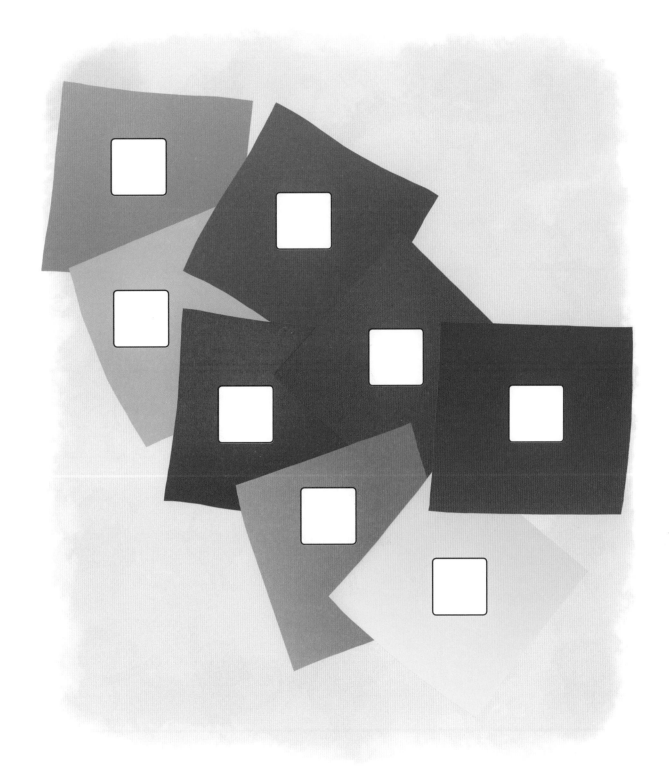

🔎 가장 위에 가려진 부분이 없는 색종이부터 찾아보아요.

방향 따라 찾아가기

원숭이가 손으로 이곳저곳을 가리키고 있어요.
원숭이가 손으로 가리키는 방향을 따라 선을 그어요.

손으로 가리키는 방향을 따라 차례대로 선을 그어 보아요.

먹을 치즈의 수 구하기

쥐가 방 안을 이동하면서 치즈를 먹으려고 해요.
도착할 때까지 가장 많이 먹을 수 있는 치즈의 개수를 빈칸에 숫자로 써요.

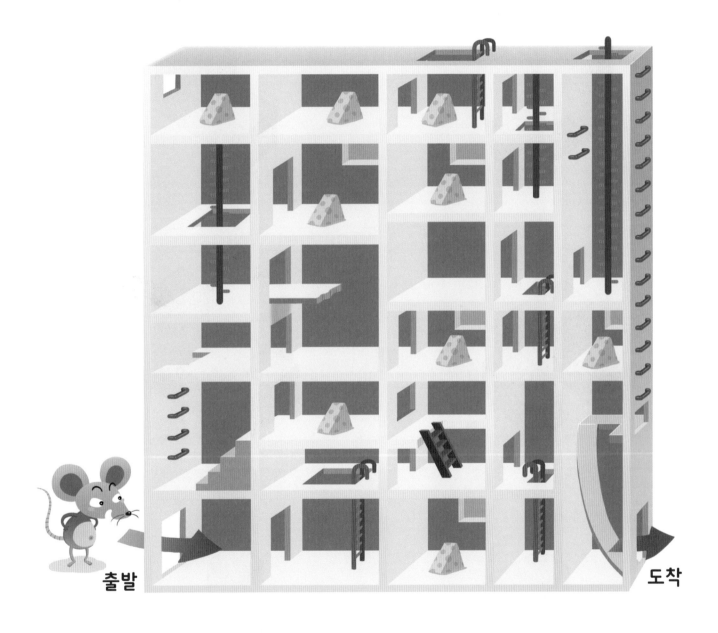

출발　　　　　　　　　　　　　　　　　　도착

먹을 수 있는 치즈는 ☐ 개

🔑 방을 이동하면서 먹을 수 있는 치즈와 먹지 못하는 치즈를 구분해 보아요.

5일 쌓은 블록의 수 구하기

똑같은 모양의 블록을 여러 개 쌓았어요.

블록을 모두 몇 개 쌓았는지 빈칸에 숫자를 써요.

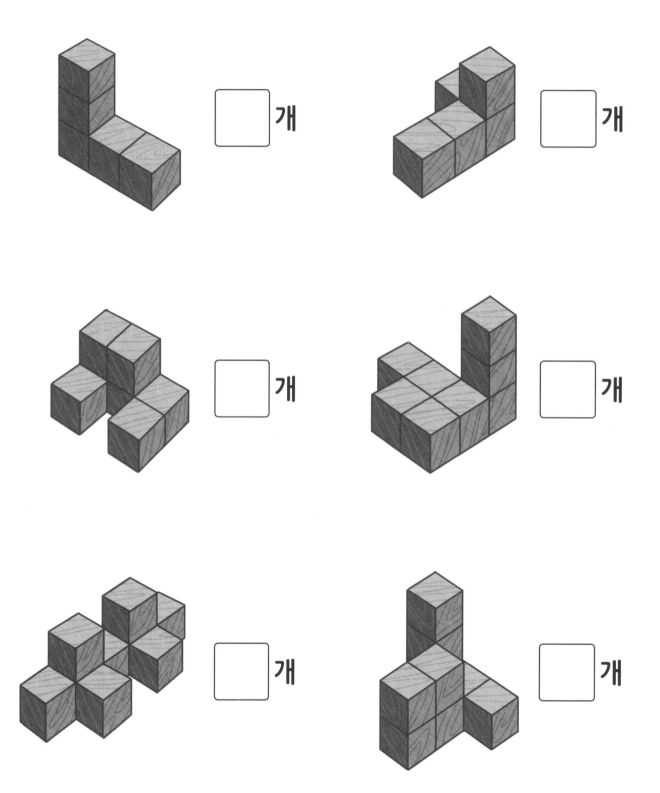

□ 개

□ 개

□ 개

□ 개

□ 개

□ 개

🌡 밑에 쌓여 보이지 않는 블록까지 빠짐없이 세어 보아요.

눈금판에 모양 그리기

눈금판에 보기와 같이 모양을 그렸어요.
아래의 눈금판에 보기와 똑같은 모양으로 그려요.

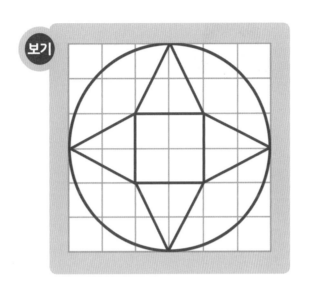

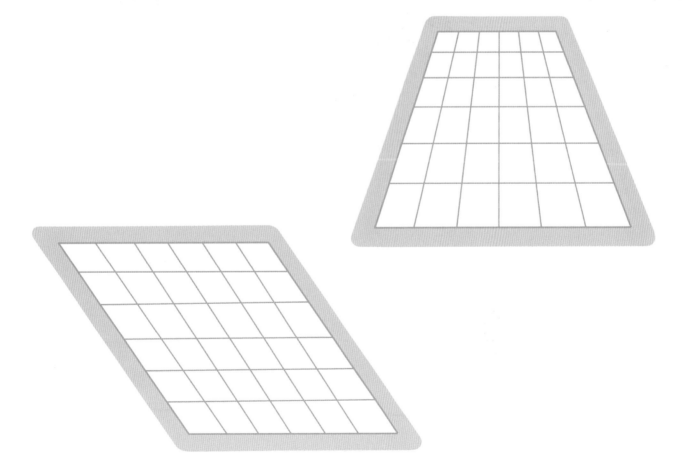

선들이 만나는 곳을 모양이 달라진 눈금판의 똑같은 위치에 표시한 다음 선으로 이어 보아요.

나비 체조를 해요

다음 동작을 순서대로 하나씩 천천히 따라해 보아요.

허리를 곧게 세우고
발을 안쪽으로 가져와 앉아요.
손으로 발을 잡아요.

팔랑   팔랑

나비의 날개처럼 두 다리를
위아래로 움직여요.
천천히 시작하고
조금씩 빠르게 해요.

동작을 천천히 멈춰요.
다리를 앞쪽으로 편 다음
살살 흔들면서 마무리해요.

10주

협응

협응력이란 눈과 손의 시선을 일치시켜 선을 긋거나 점을 잇고, 면을 색칠하는 능력을 말합니다.

1일 규칙대로 점 잇기

'3', '6', '9'가 들어간 숫자의 점을 수가 점점 커지는 순서대로 이어서
고양이에게 집을 만들어 줘요.

🦴 3·6·9 놀이를 생각하면 쉽게 알 수 있어요.

알파벳 색칠하기

주영이가 놀이공원에 놀러 갔어요.

A, B, C, D, E에 해당하는 색깔을 칠해 그림을 완성해요.

A부터 E까지의 알파벳에 해당하는 색깔이 무엇인지 먼저 맞춰 보아요.

큰 그림 작게 그리기

큰 바둑판 모양에 집과 꽃이 있어요.

모습은 똑같고 크기만 작은 집과 꽃을 작은 바둑판 모양에 그려요.

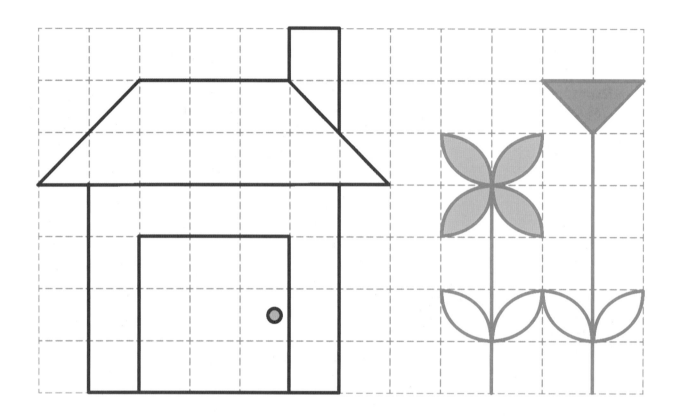

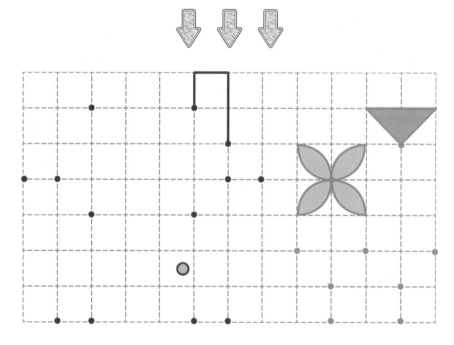

바둑판 모양의 칸을 하나하나 따라가며 그림을 그려요.

같은 크기로 땅 나누기

점선을 따라 한 개의 선을 그어 땅을 같은 크기로 나눠요.

단, 나눈 땅에 나무가 한 그루씩 있어야 해요.

🔑 칸의 수가 같으면 땅을 같은 크기로 나눈 거예요.

3일 점 잇고 물건 찾기

점들을 이어서 주방에서 볼 수 있는 물건들의 모습을 완성해요.
그 다음, 없는 물건의 이름을 보기에서 골라 ◯ 해요.

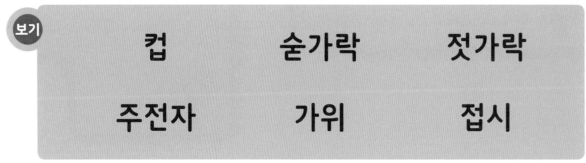

보기

컵	숟가락	젓가락
주전자	가위	접시

마음대로 점을 이으면 안 되고, 물건의 모습이 나오는지 확인하며 점을 이어야 해요.

색칠하고 발견하기

1부터 9까지의 숫자 속에 그림이 숨어 있어요.

3은 파란색, 5는 노란색, 7은 빨간색으로 칠해 보아요.

1	2	8	4	8	4	2	4	2	8
2	9	2	2	5	7	7	7	2	8
2	2	2	9	5	7	7	4	8	1
1	6	9	9	5	7	9	1	9	1
6	2	1	8	5	8	1	8	1	4
9	9	6	6	5	4	4	6	9	9
9	9	8	8	5	2	4	6	9	1
2	3	3	3	3	3	3	3	3	9
4	1	3	3	3	3	3	3	9	8
1	4	1	3	3	3	3	8	6	9
4	8	8	6	4	4	6	9	6	9

🖍 한 칸 한 칸 빈틈없이 꼼꼼하게 색칠해야 그림이 예쁘게 나와요.

4일 다른 점 찾기

액자 그림과 스케치북 그림이 서로 조금씩 다른 것 같아요.

스케치북 그림에 같은 색깔 선을 그어 액자 그림과 똑같이 되도록 해요.

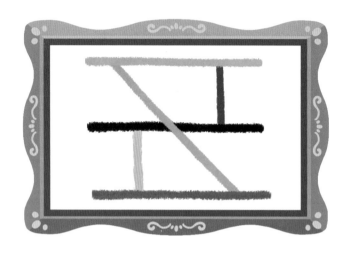

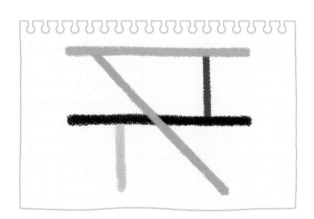

먼저 어느 색깔 선이 빠졌는지 살펴보고, 빠진 색깔 선을 그어요.

규칙대로 색칠하기

1~28은 파란색으로, 29~37은 빨간색으로, 38~45는 노란색으로,
46~55는 초록색으로 칠해 바닷속 모습을 완성해요.

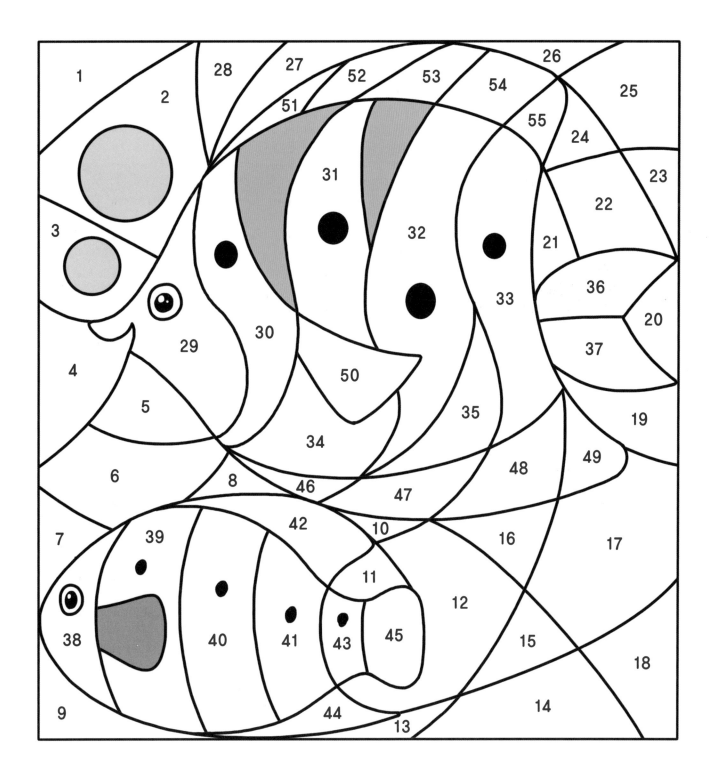

🔧 어떤 색깔의 물고기가 나타날지 상상하며 색칠해요.

5일 반쪽 완성하기

할아버지께서 구워 주신 맛있는 과자를 누군가 잘라 먹었어요.
각 쟁반의 오른쪽 그림에 점을 잇고 색칠해 왼쪽 과자와 똑같이 만들어요.

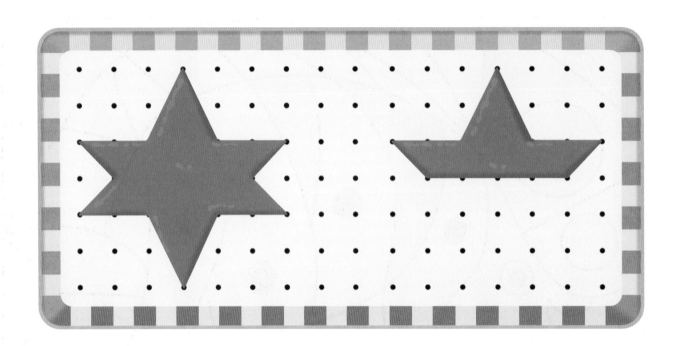

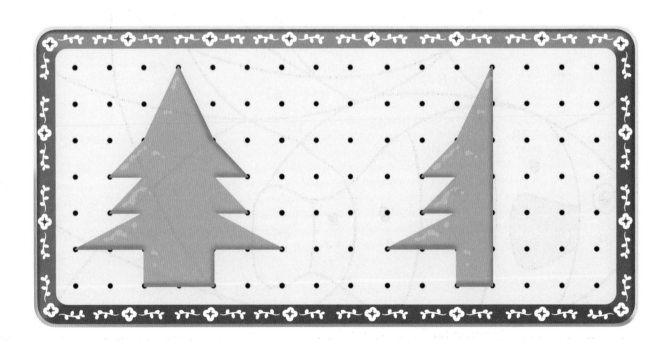

🌡 먼저 점을 이어 모양을 만든 다음, 색칠을 해요.

한 번에 그리기

→ 에서 출발해서 → 로 나가는 길을 연필을 떼지 않고 그려요.
단, 모든 길을 지나야 하고, 같은 길을 두 번 지나면 안 돼요.

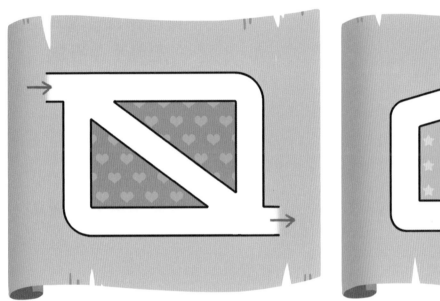

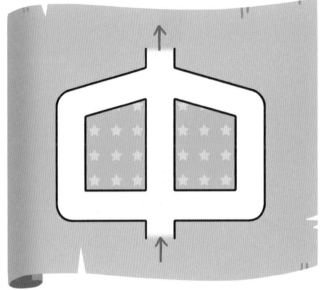

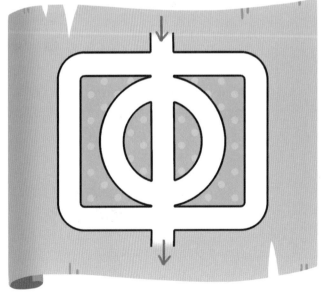

🔑 지나가지 않은 길은 어느 길이든 가도 좋아요. 출발해서 나가는 데는 여러 가지 방법이 있어요.

구름 체조를 해요

다음 동작을 순서대로 하나씩 천천히 따라해 보아요.

①

다리를 조금 벌리고
편하게 누워요.

②

그 자세에서 손바닥이
위를 향하도록 해요.

③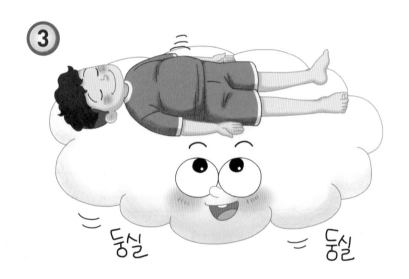

둥실   둥실

눈을 감고 천천히
깊게 숨을 쉬며
몸을 편하게 해요.

④

5분 후 천천히 앉아요.

1주

7세 초능력
집중력 **정답**

*8~9쪽

1일 숨은 동물 연결하기

수줍음이 많은 동물 친구들이 이불 속에 숨어 있어요.
어떤 동물 친구들이 숨어 있는지 선으로 이어요.

다른 그림 찾기

추운 겨울날, 친구와 함께 눈사람을 만들었어요.
두 그림에서 서로 다른 부분을 다섯 군데 찾아 아래 그림에 ○ 해요.

8 집중력

관찰 9

*10~11쪽

2일 내가 그린 그림 찾기

크레파스로 예쁜 그림을 그렸어요.
다음 크레파스를 모두 사용하여 그린 그림을 찾아 ○ 해요.

숨은 그림 찾기

마녀가 숨겨 놓은 그림을 찾아야 동물들이 탈출할 수 있어요.
숨은 그림 다섯 개를 찾아 ○ 해요.

숨은 그림: 빵, 칫솔, 연필, 햄버거, 비행기

10 집중력

관찰 11

*12~13쪽

3일 자물쇠 찾기

열쇠로 자물쇠를 열어서 보물을 찾아야 해요.
열쇠 모양에 맞는 자물쇠를 찾아 ○ 해요.

필요한 물건 찾기

직업마다 사람들이 사용하는 물건은 각각 달라요.
그림 속 사람들에게 필요한 물건을 찾아 선으로 이어요.

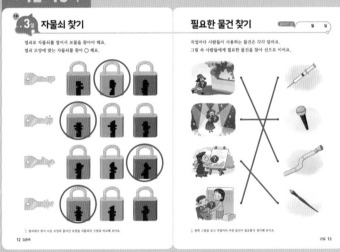

12 집중력

관찰 13

*14~15쪽

4일 가면 놀이하기

색지를 오려서 동물 모양 가면을 만들었어요.
원쪽의 색지를 오려 만든 동물 모양 가면으로
놀이를 하고 있지 않은 친구를 찾아 빈칸에 ○ 해요.

냉장고 찾기

엄마와 시장에 가서 여러 가지 물건을 샀어요.
나는 시장에서 산 물건을 빈 냉장고에 차곡차곡 정리했어요.
우리 집 냉장고를 찾아 ○ 해요.

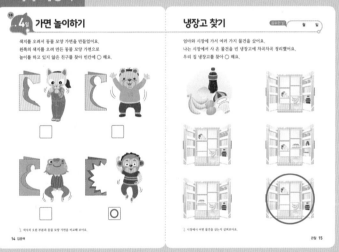

14 집중력

관찰 15

*16~17쪽

5일 먹고 싶은 과일 찾기

동물 친구들이 먹고 싶은 과일을 이야기하고 있어요.
동물 친구들이 각자 원하는 과일을 알맞게 그린 모습을 찾아 ○ 해요.

바람 방향 살펴보기

바람 아저씨가 입김을 부니까 날아갈 것만 같아요.
바람이 부는 방향과 반대로 움직이는 것을 찾아 빈칸에 ○ 해요.

16 집중력

관찰 17

정답 **127**

2주

*20~21쪽

1일 사용한 모양 찾기

모양을 3개씩 사용하여 왼쪽과 같이 꾸몄어요.
사용한 모양을 모두 찾아 선으로 이어요.

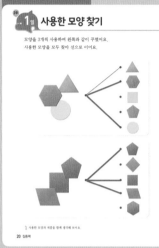

사용한 모양과 색깔을 함께 생각해 보아요.
20 집중력

같은 모양 찾아 색칠하기

세 가지 색으로 그림을 색칠하려고 해요.
규칙에 따라 같은 모양은 같은 색으로 칠해요.

☐ → 파란색   △ → 보라색   ○ → 노란색

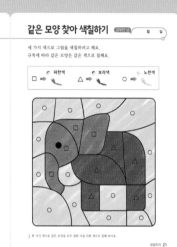

한 가지 색으로 같은 모양을 모두 칠한 다음 다른 색으로 칠해 보아요.
모양지각 21

*22~23쪽

2일 로봇 완성하기

보기에 있는 재료들로 로봇을 만들려고 해요.
알맞게 완성된 로봇을 찾아 ○ 해요.

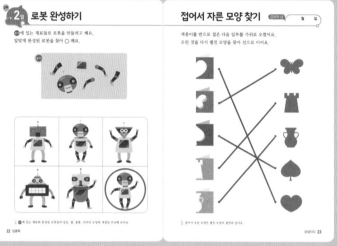

보기에 있는 재료들과 완성된 로봇들의 얼굴, 팔, 몸통, 다리의 모양과 색깔을 비교해 보아요.
22 집중력

접어서 자른 모양 찾기

색종이를 반으로 접은 다음 일부를 가위로 오렸어요.
오린 것을 다시 펼친 모양을 찾아 선으로 이어요.

종이에서 오린 모양은 펼친 모양과 같아요.
모양지각 23

*24~25쪽

3일 색칠한 모양의 위치 찾기

네 가지 모양들을 세 가지 색으로 칠하려고 해요.
색칠한 모양이 들어갈 위치를 찾아 빈칸에 알맞은 번호를 써요.

1	2	3	4
5	6	7	8
9	10	11	12

3   11   4   6   9

색깔과 모양을 각각 살펴본 후 색칠과 모양이 만나는 위치를 찾아보아요.
24 집중력

동물의 그림자 찾기

고양이와 강아지의 그림자를 찾으려고 해요.
알맞은 그림자를 찾아 빈칸에 번호를 써요.

2

3

고양이와 강아지의 얼굴이나 귀, 수염 등의 모양을 살펴보아요.
모양지각 25

*26~27쪽

4일 똑같은 모양 연결하기

검은색과 하얀색의 다양한 도형들로 이루어진 모양이 있어요.
같은 모양을 찾아 선으로 이어요.

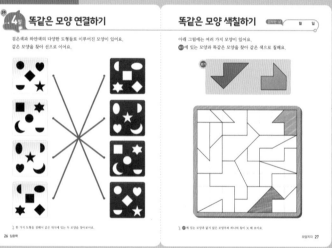

한 가지 도형을 정해서 같은 위치에 있는 두 모양을 찾아보아요.
26 집중력

똑같은 모양 색칠하기

아래 그림에는 여러 가지 모양이 있어요.
보기에 있는 모양과 똑같은 모양을 찾아 같은 색으로 칠해요.

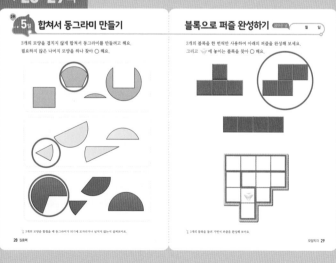

보기에 있는 모양과 같지 않은 모양부터 하나씩 찾아 지워 보아요.
모양지각 27

*28~29쪽

5일 합쳐서 동그라미 만들기

3개의 모양을 겹치지 않게 합쳐서 동그라미를 만들려고 해요.
필요하지 않은 나머지 모양을 하나 찾아 ○ 해요.

3개의 모양을 합쳤을 때 동그라미가 되기에 모자라거나 남지 않는지 살펴보아요.
28 집중력

블록으로 퍼즐 완성하기

3개의 블록을 한 번씩만 사용하여 아래의 퍼즐을 완성해 보세요.
그리고 ☐에 놓이는 블록을 찾아 ♡해요.

3개의 블록을 돌려 가면서 퍼즐을 완성해 보아요.
모양지각 29

128 집중력

3주

*32~33쪽

1일 비빔밥 그림 맞추기

수빈이가 언니 몰래 비빔밥을 먹었어요.
사라진 부분에 들어갈 알맞은 그림을 아래에서 찾아 숫자로 써요.

☞ 1~5 그림에서 음식 재료의 색깔이나 모양을 잘 살펴보아요.

동물 구분하기

예린이는 애른 고양이를 키우고 있어요.
예린이가 키우는 고양이가 아닌 동물을 모두 찾아 ○ 해요.

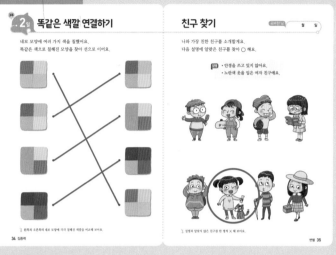

☞ 고양이의 모습과 비슷하면서 다른 종류의 동물을 찾아보아요.

*34~35쪽

2일 똑같은 색깔 연결하기

네모 모양에 여러 가지 색을 칠했어요.
똑같은 색으로 칠해진 모양을 찾아 선으로 이어요.

☞ 왼쪽과 오른쪽의 네모 모양에 각각 칠해진 색깔의 색깔을 비교해 보아요.

친구 찾기

나와 가장 친한 친구를 소개할게요.
다음 설명에 알맞은 친구를 찾아 ○ 해요.

> • 안경을 쓰고 있지 않아요.
> • 노란색 옷을 입은 여자 친구예요.

☞ 설명과 맞춰서 닮은 친구를 찾은 다음 X 해 보아요.

*36~37쪽

3일 똑같은 표정 찾기

아홉 명의 친구들이 모여 있어요.
친구들이 다 같이 표정 짓기 놀이를 하고 있네요.
똑같은 표정을 지은 친구를 모두 찾아 ○ 해요.

☞ 친구들의 눈썹 모양, 눈 모양, 입 모양을 하나하나 비교하며 살펴보아요.

짝꿍 조각 연결하기

조각나라에는 딱 맞는 짝꿍 조각이 있어요.
짝꿍 조각이 서로 만나야 행복해질 수 있어요.
알맞은 짝꿍 조각끼리 선으로 이어요.

☞ 왼쪽과 오른쪽 조각에서 튀어나온 부분과 들어간 부분을 하나씩 비교해 보아요.

*38~39쪽

4일 똑같은 사람 찾기

소민이와 친구들이 운동장에서 공놀이를 하고 있어요.
각각 다양한 종류의 공을 가지고 신나게 놀고 있네요.
그중 소민이의 모습을 찾아 ○ 해요.

☞ 소민이의 처음 모습을 보고 공놀이를 하고 있는지 살펴보아요.

그림자 구분하기

정리정돈을 하지 않아 물건이 마구 뒤섞여 있어요.
뒤섞인 물건의 그림자를 보고, 해당하는 물건을 찾아야 해요.
아래 그림에서 알맞은 물건을 모두 찾아 ○ 해요.

☞ 그림자의 모양과 아래 물건들의 모양을 비교해 보아요.

*40~41쪽

5일 뚜껑 연결하기

냄비 안에 맛있는 찌개가 보글보글 끓고 있어요.
냄비 크기에 알맞은 뚜껑을 찾아 선으로 이어요.

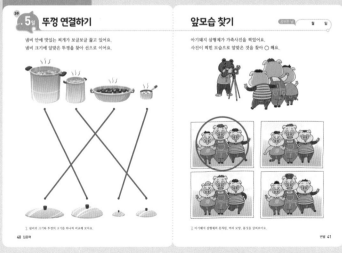

☞ 냄비의 크기와 뚜껑의 크기를 하나하나 비교해 보아요.

앞모습 찾기

아기돼지 삼형제가 가족사진을 찍었어요.
사진이 찍힌 모습으로 알맞은 것을 찾아 ○ 해요.

☞ 아기돼지 삼형제의 안경과, 머리 모양, 옷차림을 살펴보아요.

정답 **129**

4주

*44~45쪽

1일 장난감 상자 고르기

장난감을 각각 상자에 담으려고 해요.
장난감의 모양과 크기에 알맞은 상자를 찾아 선으로 이어요.

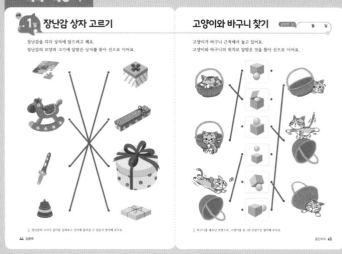

고양이와 바구니 찾기

고양이가 바구니 근처에서 놀고 있어요.
고양이와 바구니의 위치에 알맞은 것을 찾아 선으로 이어요.

*46~47쪽

2일 종이 색칠하기

기다란 종이가 여러 장 겹쳐 있어요.
맨 위에 있는 종이는 빨간색으로, 맨 아래에 있는 종이는 파란색으로 칠해요.

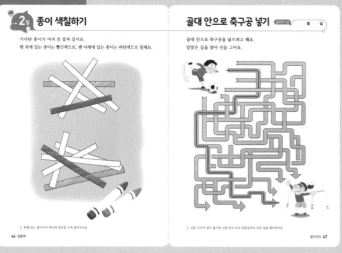

골대 안으로 축구공 넣기

골대 안으로 축구공을 넣으려고 해요.
알맞은 길을 찾아 선을 그어요.

*48~49쪽

3일 바라본 모양 찾기

네 명의 친구들이 블록으로 만든 모양을 보고 있어요.
아래의 모양은 각각 누가 바라본 모양인지 빈칸에 이름을 써요.

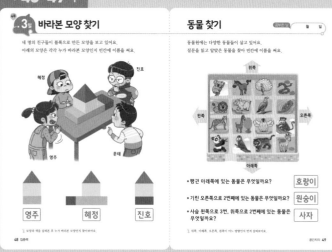

영주 　 혜정 　 진호

동물 찾기

동물원에는 다양한 동물들이 살고 있어요.
질문을 읽고 알맞은 동물을 찾아 빈칸에 이름을 써요.

- 맨 아래쪽에 있는 동물은 무엇일까요?　호랑이
- 기린 오른쪽으로 2번째에 있는 동물은 무엇일까요?　원숭이
- 사슴 왼쪽으로 3번, 위쪽으로 2번째에 있는 동물은 무엇일까요?　사자

*50~51쪽

4일 겹친 모양 색칠하기

왼쪽 4개의 모양을 겹쳤더니 오른쪽 모양이 되었어요.
어떻게 겹친 것인지 알맞게 색칠해요.

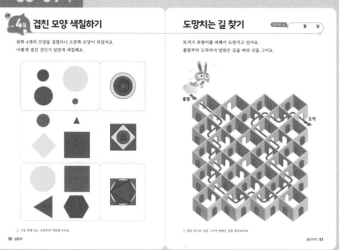

도망치는 길 찾기

토끼가 호랑이를 피해서 도망치고 있어요.
출발부터 도착까지 알맞은 길을 따라 선을 그어요.

*52~53쪽

5일 타일로 바닥 덮기

타일을 여러 개 사용하여 오른쪽의 바닥을 빈틈없이 덮으려고 해요.
어떻게 덮으면 될지 왼쪽 모양으로 오른쪽 바닥을 나누어요.

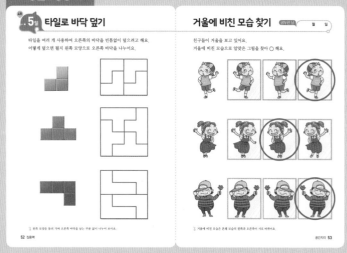

거울에 비친 모습 찾기

친구들이 거울을 보고 있어요.
거울에 비친 모습으로 알맞은 그림을 찾아 ○ 해요.

*답은 여러 가지가 있어요.

5주

*56~57쪽

5주 1일 순서대로 점 잇기

동물 친구들을 만나 볼까요?
1부터 50까지 순서대로 점을 선으로 이어요.

번호대로 색칠하기

어디선가 공룡 소리가 들리는 것 같아요!
공룡 친구들을 만나기 위해 1부터 5까지 번호대로 색칠해요.

*58~59쪽

5주 2일 작은 그림 크게 그리기

작은 바둑판 모양에 코끼리가 있어요.
모습은 똑같고 크기만 큰 코끼리를 큰 바둑판 모양에 그려요.

지나간 길 비교하기

오리와 닭이 걸어간 길을 각각 선으로 그은 다음,
누가 더 빠른 길로 갔는지 이야기해요.

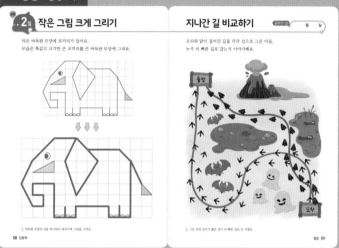

*오리가 더 빠른 길로 갔어요.

*60~61쪽

5주 3일 똑같이 선 긋기

나비가 노란색 꽃의 꿀을 먹으려고 여행을 했어요.
나비가 지나간 길과 똑같이 아래쪽 그림에 선을 그어요.

똑같이 색칠하기

예쁜 꽃이 피었어요!
위쪽 그림과 똑같이 되도록 아래쪽 그림의 빈칸에 색칠해요.

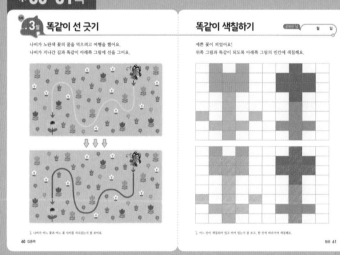

*62~63쪽

5주 4일 상상해서 선 그리기

나무 판 구멍에 줄을 팽팽하게 꿰었어요.
나무 판 뒷면의 줄의 모습을 상상해서 나무 판 앞면에 그려요.
그 다음, 줄의 길이가 가장 긴 것을 골라 빈칸에 번호를 써요.

4

색칠하고 이름 찾기

'ㅇ'이 들어간 곳은 빨간색으로, 'ㅁ'이 들어간 곳은 파란색으로,
'ㅅ'이 들어간 곳은 갈색으로 칠해요.
그 다음, 글자 세 개를 골라 빈칸에 완성된 새의 이름을 써요.

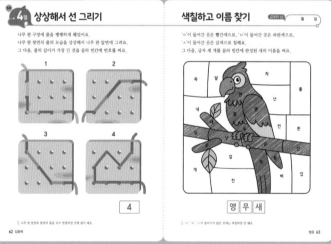

앵 무 새

*줄을 꿰는 방법은 여러 가지가 있어요.

*64~65쪽

5주 5일 똑같이 점 잇기

세 가지 모양의 자동차가 있어요.
오른쪽 그림의 점을 이어 왼쪽 자동차와 똑같은 자동차를 완성해요.

마주보게 색칠하기

가운데 점선을 접었을 때 마주보는 칸이 같은 색깔이 되도록
빈칸을 색칠하고, 완성된 동물의 이름을 써요.

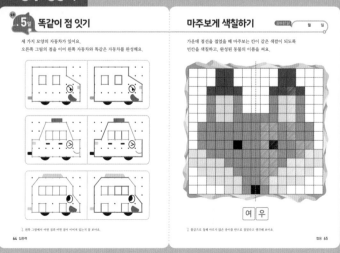

여 우

*68~69쪽

1일 사진 찾기

가족과 여행을 가서 찍었던 사진이 떨어졌어요.
사진 조각을 이어 붙여 완성된 사진에 ○ 해요.

서로 다른 부분 찾기

놀이공원에 가서 재미있게 놀았어요.
서로 다른 부분을 다섯 군데 찾아 아래 그림에 ○ 해요.

68 집중력
관찰 69

*70~71쪽

2일 발자국 구분하기

민수와 함께 사는 동물들이 집 안에 발자국을 남겨 놓았어요.
민수가 키우지 않는 동물을 찾아 ○ 해요.

숨은 그림 찾기

숨은 그림을 찾아야 파워벤토 괴물을 물리칠 수 있어요.
다음에서 숨은 그림 다섯 개를 찾아 ○ 해요.

숨은 그림   컵, 도넛, 연필, 모자, 프라이팬

70 집중력
관찰 71

*72~73쪽

3일 사진 조각 찾기

바닥에 사진 조각이 흩어져 있어요.
강아지 푸푸가 나의 얼굴 사진을 조각조각 뜯어 놓았네요.
아래 내 얼굴의 모습과 표정이 담긴 사진 조각이 아닌 것에 ○ 해요.

얼굴 표정 찾기

우리는 기분에 따라 여러 가지 표정을 지어요.
기쁨, 슬픔, 분노 등 다양한 감정을 표정으로 표현할 수 있지요.
왼쪽의 표정과 똑같은 표정을 찾아 ○ 해요.

72 집중력
관찰 73

*74~75쪽

4일 왼손, 오른손 찾기

친구들과 가위바위보 놀이를 했어요.
친구들의 손을 보고 오른손은 ○, 왼손은 △ 해요.

규칙 찾기

시원하고 맛있는 과일 빙수를 먹었어요.
빙수 위에 있는 과일과 같은 순서로 놓인 단추를 찾아 선으로 이어요.

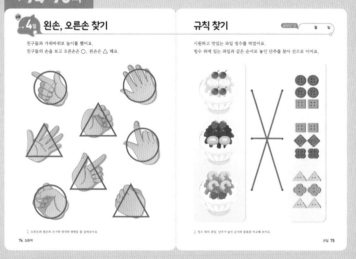

74 집중력
관찰 75

*76~77쪽

5일 다른 퍼즐 조각 찾기

오늘은 우리 집에 친구들을 초대한 날이에요.
친구들과 함께 엄마께서 해 주신 맛있는 간식을 잔뜩 먹었어요.
아래에서 알맞지 않은 퍼즐 조각을 찾아 ○ 해요.

고리 연결 규칙 찾기

오늘은 곰돌이의 생일이에요.
동물 친구들이 곰돌이 생일 선물로 색종이 목걸이를 만들었어요.
다음 규칙에 따라 색종이 고리를 연결한 동물 친구를 찾아 ○ 해요.

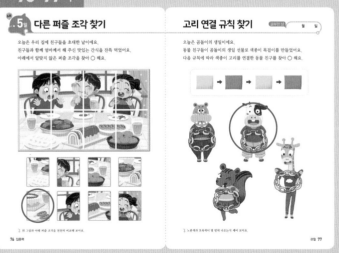

76 집중력
관찰 77

7주

＊80~81쪽

1일 같은 모양끼리 색칠하기

여러 가지 모양으로 그림을 그렸어요.
보기에 있는 모양과 같은 모양을 찾아 같은 색으로 칠해요.

규칙에 맞게 색칠하기

같은 모양의 배를 여러 개 그렸어요.
그린 배들을 규칙에 맞게 모두 색칠해요.

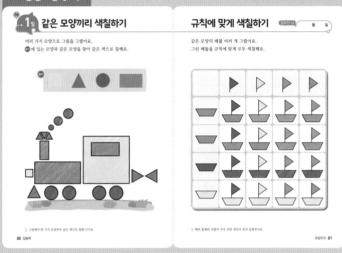

＊82~83쪽

2일 손으로 만든 모양 찾기

손으로 동물 모양을 만든 다음 그림자를 만들었어요.
만든 그림자를 찾아 선으로 이어요.

합쳐서 네모 만들기

왼쪽과 오른쪽 모양을 합쳐서 네모 모양을 만들려고 해요.
알맞은 모양끼리 선으로 이어요.

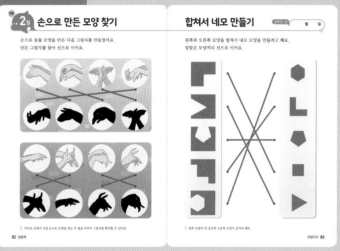

＊84~85쪽

3일 잘린 모양 찾기

그림의 잘린 부분에는 어떤 모양이 들어가야 할까요?
알맞은 모양을 찾아 ○해요.

똑같은 모양 찾기

여러 가지 맛있는 과일들이 있어요.
다음 모양과 순서가 같은 곳을 찾아 과일을 색칠해요.

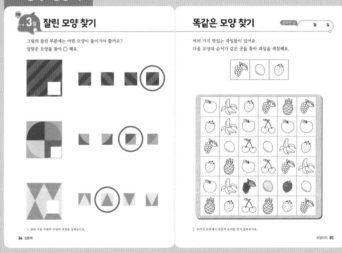

＊86~87쪽

4일 필요 없는 블록 찾기

블록으로 자동차를 만들었어요.
아래의 그림에서 필요 없는 블록을 모두 찾아 ✕해요.

비슷한 모양 연결하기

동그라미와 네모 모양을 만들었어요.
규칙을 찾아 왼쪽 모양과 비슷한 모양을 각각 선으로 이어요.

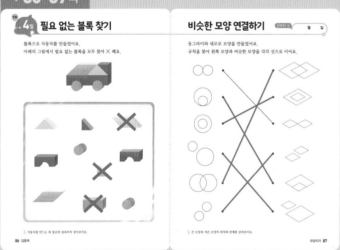

＊88~89쪽

5일 모양 완성하기

다섯 가지 모양을 모두 사용하여 아래의 모양을 완성하려고 해요.
아래 모양의 빈곳을 알맞게 색칠해요.

도형의 모양 찾기

보기와 같이 도형의 모양이 변하고 있어요.
물음표에 알맞은 도형을 찾아 ○해요.

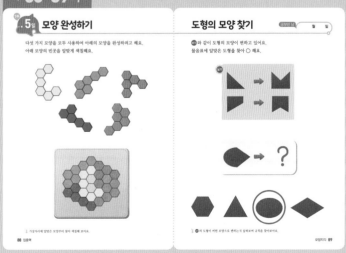

8주

1일 다른 동물 찾기

넓은 들판에서 얼룩말 친구들이 놀고 있어요.
자세히 보니 얼룩말의 모습과 비슷한 동물 친구도 있네요.
얼룩말이 아닌 동물을 모두 찾아 ○ 해요.

물건의 반쪽 찾기

반쪽 나라의 물건은 반으로 쪼개져 있어요.
쪼개진 물건들이 나머지 반쪽을 찾아 원래의 모습으로 돌아가고 싶대요.
각 물건의 알맞은 반쪽을 찾아 ○ 해요.

92 집중력

정답 93

2일 이상한 그림자 찾기

그림자 요정이 동물들의 그림자로 장난을 치고 있어요.
요정의 장난 때문에 동물들의 움직임과 그림자가 서로 맞지 않아요.
그림자에 이상한 부분을 다섯 군데 찾아 ○ 해요.

똑같은 사과 찾기

거센 태풍 때문에 나무에 달린 사과들이 다 떨어질 것 같아요.
사과들이 나무에서 떨어지지 않으려고 안간힘을 쓰고 있네요.
다음 사과의 표정과 똑같은 것을 모두 찾아 ○ 해요.

94 집중력

정답 95

3일 지갑 주인 찾기

현섭이가 길에 떨어져 있는 지갑을 주웠어요.
지갑 속 사진과 똑같은 모습을 한 주인을 찾아 ○ 해요.

물건 찾기

뒤죽박죽 나라의 어느 방에서 다음 물건을 찾아야 해요.
해당하는 물건을 모두 찾아 ○ 해요.

사과, 양말, 다리미, 병아리, 비행기

96 집중력

정답 97

4일 그림자 주인공 찾기

그림자 인형극 놀이를 하고 있어요.
그림자 인형극에 등장하지 않은 주인공을 찾아 ○ 하세요.

조각 그림 맞추기

뱅뱅 나라의 그림에는 여기저기 구멍이 뻥뻥 뚫려 있어요.
아래 그림의 구멍에 알맞은 조각 그림을 찾아 숫자를 써요.

98 집중력

정답 99

5일 똑같은 모양 찾기

곰돌이가 스케치북에 어떤 모양을 그렸어요.
먼저 스케치북에 그려진 모양과 똑같은 것을 찾아보세요.
그 다음 똑같은 모양이 몇 개인지 세어 그 수를 빈칸에 숫자로 써요.

3개

뒷모습 찾기

현숙이는 숲속 마을에서 제일 유명한 화가예요.
그래서 토끼는 현숙이에게 자기 얼굴을 그려 달라고 부탁했어요.
토끼의 뒷모습으로 알맞은 것을 찾아 ○ 해요.

100 집중력

정답 101

134 집중력

9주

＊104~105쪽

1일 비슷한 모양의 물건 찾기

여러 가지 모양의 물건이 있어요.
왼쪽 모양과 비슷한 모양의 물건을 찾아 선으로 이어요.

사과의 위치 찾기

사과가 상자와 탁자 주변에 놓여 있어요.
어떻게 놓여 있는지 알맞은 말을 찾아 선으로 이어요.

위에
앞에
옆에
뒤에
안에
사이에
밑에

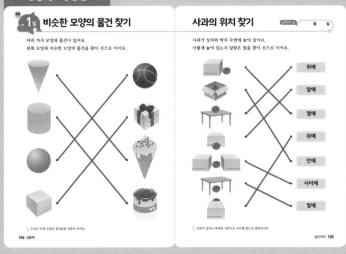

＊106~107쪽

2일 떨어질 고리 색칠하기

고리를 그림과 같이 손으로 잡아 들려고 해요.
떨어질 고리를 모두 색칠해요.

도둑 쫓기

도둑이 옥상으로 도망가고 있어요.
경찰 아저씨가 도둑을 잡을 수 있게 알맞은 길을 찾아 선을 그어요.

＊108~109쪽

3일 바라본 모양 색칠하기

여러 가지 색의 블록을 놓고 세 친구가 각 방향에서 바라보았어요.
바라본 모양을 알맞게 색칠하고 바라본 친구의 이름을 써요.

윤택	희선	영주
민태	지호	윤주
상호	지희	경수
유정	경진	현주

위에 있는 색종이 찾기

바닥에 색종이를 여러 장 겹쳐 놓았어요.
가장 위에 있는 색종이부터 차례대로 빈칸에 번호를 써요.

8
6
7
5 4 1
3
2

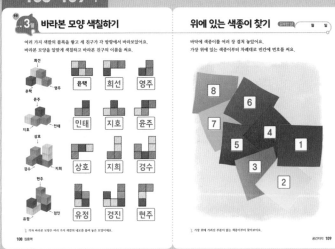

＊110~111쪽

4일 방향 따라 찾아가기

원숭이가 손으로 이곳저곳을 가리키고 있어요.
원숭이가 손으로 가리키는 방향을 따라 선을 그어요.

먹을 치즈의 수 구하기

쥐가 방 안을 이동하면서 치즈를 먹으려고 해요.
도착할 때까지 가장 많이 먹을 수 있는 치즈의 개수를 빈칸에 숫자로 써요.

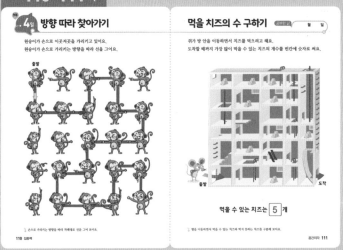

먹을 수 있는 치즈는 5 개

＊112~113쪽

5일 쌓은 블록의 수 구하기

똑같은 모양의 블록을 여러 개 쌓았어요.
블록을 모두 몇 개 쌓았는지 빈칸에 숫자를 써요.

5 개   5 개
7 개   8 개
9 개   9 개

눈금판에 모양 그리기

눈금판에 보기와 같이 모양을 그렸어요.
아래의 눈금판에 보기와 똑같은 모양으로 그려요.

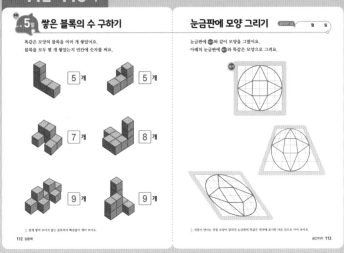

10주

★116~117쪽

1일 규칙대로 점 잇기

'3', '6', '9'가 들어간 숫자의 점을 수가 점점 커지는 순서대로 이어서
고양이에게 집을 만들어 줘요.

> ● 3·6·9 놀이를 생각하면 쉽게 찾을 수 있어요.
116 집중력

알파벳 색칠하기

주영이가 놀이공원에 놀러 갔어요.
A, B, C, D, E에 해당하는 색을 칠해 그림을 완성해요.

> ● 5가지 문제색의 알파벳에 해당하는 색깔이 무엇인지 먼저 찾아 봐요.
정답 117

★118~119쪽

2일 큰 그림 작게 그리기

큰 바둑판 모양에 집과 꽃이 있어요.
모습은 똑같고 크기만 작은 집과 꽃을 작은 바둑판 모양에 그려요.

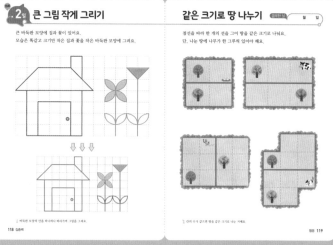

> ● 바둑판 모양의 한 칸을 하나하나 따라가며 그림을 그려요.
118 집중력

같은 크기로 땅 나누기

점선을 따라 두 개의 선을 그어 땅을 같은 크기로 나눠요.
단, 나눈 땅에 나무가 한 그루씩 있어야 해요.

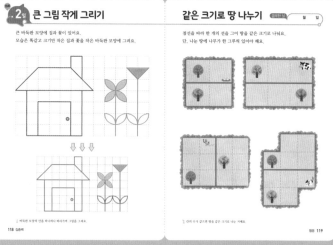

> ● 선의 수가 같으면 땅을 같은 크기로 나눌 수 있어요.
정답 119

★땅을 나누는 방법은 여러 가지가 있어요.

★120~121쪽

3일 점 잇고 물건 찾기

점들을 이어서 주방에서 볼 수 있는 물건들의 모습을 완성해요.
그 다음, 없는 물건의 이름을 의에서 골라 ○ 해요.

| 컵 | 숟가락 | 젓가락 |
| 주전자 | 가위 | 접시 |

> ● 차례대로 점을 이으면 만들 수 있고, 물건의 모습이 나오는지 확인하며 점을 이어가 봐요.
120 집중력

색칠하고 발견하기

1부터 9까지의 숫자 속에 그림이 숨어 있어요.
3은 파란색, 5는 노란색, 7은 빨간색으로 칠해 봐요.

> ● 한 칸 한 칸 잘 살펴가며 숫자에 맞는 색칠을 하며 그림이 나오게 해봐요.
정답 121

★122~123쪽

4일 다른 점 찾기

액자 그림과 스케치북 그림이 서로 조금씩 다른 것 같아요.
스케치북 그림에 같은 색깔 선을 그어 액자 그림과 똑같이 되도록 해요.

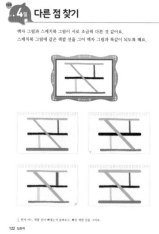

> ● 먼저 어느 색깔 선이 빠졌는지 살펴보고, 빠진 색깔 선을 그려요.
122 집중력

규칙대로 색칠하기

1~28은 파란색으로, 29~37은 빨간색으로, 38~45는 노란색으로,
46~55는 초록색으로 칠해 바닷속 모습을 완성해요.

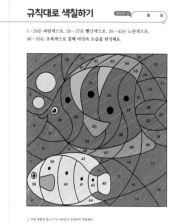

> ● 어떤 색깔의 물고기가 나타날지 상상하며 색칠해요.
정답 123

★124~125쪽

5일 반쪽 완성하기

할아버지께서 구워 주신 맛있는 과자를 누군가 잘라 먹었어요.
각 쟁반의 오른쪽 그림에 점을 잇고 색칠해 왼쪽 과자와 똑같이 만들어요.

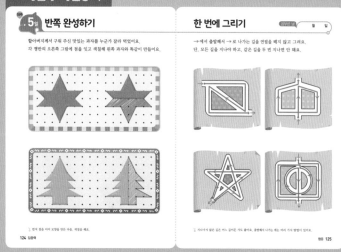

> ● 먼저 점을 이어 모양을 만든 다음, 색칠을 해요.
124 집중력

한 번에 그리기

→에서 출발해서 ←로 나가는 길을 연필을 떼지 않고 그려요.
단, 모든 길을 지나야 하고, 같은 길을 두 번 지나면 안 돼요.

> ● 지나가지 않은 길은 어느 길인지 잘 찾아 봐요. 출발해서 나가는 데는 여러 가지 방법이 있어요.
정답 125

★한 번에 그려 길을 나가는 방법은 여러
가지가 있어요.